DU MÊME AUTEUR

Aux Éditions Gallimard

MINUIT SUR LES JEUX, *roman.*

LE AÏE AÏE DE LA CORNE DE BRUME, *roman.*

L'INSUCCÈS DE LA FÊTE, *roman.*

RICHE ET LÉGÈRE, *roman.*

COURSE D'AMOUR PENDANT LE DEUIL, *roman.*

En collaboration avec Jacques Roubaud :

GRAAL THÉÂTRE

I. Joseph d'Arimathie
et Merlin l'Enchanteur

II. Gauvain et le Chevalier Vert
Lancelot du Lac
Perceval le Gallois
L'enlèvement de Guenièvre

Chez d'autres éditeurs

PETITES FORMES EN PROSE APRÈS EDISON, *essai.* (Hachette.)

LES DAMES DE FONTAINEBLEAU. (Franco Maria Ricci.)

LA SÉDUCTION BRÈVE. (Cahiers des Brisants.)

PARTITION ROUGE, poèmes et chants des Indiens d'Amérique du Nord, *avec Jacques Roubaud.* (Seuil.)

L'HEXAMÉRON, *avec Michel Chaillou, Michel Deguy, Natacha Michel, Jacques Roubaud et Denis Roche.* (Seuil.)

Traductions

José Bergamín : **LA DÉCADENCE DE L'ANALPHABÉTISME.** (La Délirante.)

José Bergamín : **LA SOLITUDE SONORE DU TOREO.** (Seuil.)

Arnaldo Calveyra : **L'ÉCLIPSE DE LA BALLE.** (Actes Sud/Papiers.)

Fernando de Rojas : **LA CÉLESTINE.** (Actes Sud/Papiers.)

ETXEMENDI

FLORENCE DELAY

ETXEMENDI

roman

Salve Regina University
McKillop Library
100 Ochre Point Ave.
Newport, RI 02840-4192

GALLIMARD

© *Éditions Gallimard, 1990.*

AU NORD
IPARRALDE

1

A Biarritz, au pied des Petites Pyrénées, une nuit d'octobre 19.., l'ingénieur Etxemendi fit un drôle de pas. L'étape dans cette ville n'était pas prévue. Il souhaitait, au contraire, se rendre au plus vite à Saint-Jean-Pied-de-Port puis à Saint-Sébastien où l'attendaient, non des saints, mais un notaire et des banquiers. Et il venait de loin pour cela. Pour régler une affaire d'héritage il avait traversé l'Atlantique. Or ce pas qu'il fit dans la nuit le dérouta.

Les choses avaient commencé à ne plus lui obéir au début de l'après-midi, à l'heure où l'avion de Paris se pose sur le petit aérodrome. L'appareil avait atterri, l'escalier couru à sa rencontre, et quand la porte blindée contre le ciel s'entrouvrit il fut le premier à sortir. Le sourire du congé au visage, comme n'importe quel passager qui revient sur terre, il aspira l'air du pays où il arrivait, sans y penser mais profondément. Il faisait beaucoup de choses machinalement mais profondément. Cette gorgée d'air déclencha un état d'âme. Sa poitrine qui avait été jusqu'alors un lieu sûr, propre et clair, où les sentiments circulaient sans laisser de traces, ce lieu sans regrets, aussi ordonné que le vide, se troubla. Quelque chose avec cette bolée d'air entra qui n'était pas prévu, une sorte de peine diffuse, douce, humide, tranquille, légèrement salée avec un peu de pomme dedans. Au loin il aperçut les montagnes, la Rhune. Suis-je bête, se dit-il, c'est simplement mon pays! Et il dépassa de sa longue foulée ceux qui avaient pris de l'avance sur lui.

N'ayant à la main qu'un bagage en toile – il avait laissé ses valises à Paris, chez son ancienne femme –, il put se diriger sans attendre vers le service de location des voitures. Il n'y en avait pas de disponible. Buté, il insista. On lui en promit une pour le lendemain. Ce contretemps rendait son plan impossible. Son plan : aller directement chez le notaire de Saint-Jean, passer la frontière le soir même ou tôt le lendemain, rencontrer à Saint-Sébastien son banquier et revenir par le dernier vol du soir. Il ne sut pas qu'il était contrarié. Il fit promettre à l'employée qu'elle lui obtiendrait cette voiture au plus tôt et demanda l'adresse d'un bon hôtel.

Plus grand que le commun des mortels Etxemendi avait l'habitude de détacher vers eux son visage. Il avançait le cou et leur souriait, abandonnant derrière lui son corps puissant, à peine épaissi. Il penchait vers l'interlocuteur un visage très maigre, et le sourire bondissait. Un sourire qui déréglait la franchise du regard. Impressionnée, car il était impressionnant, la jeune femme indiqua le meilleur des hôtels. Je me souviens, dit le grand client, il existait déjà quand j'étais... Sa main acheva la phrase en plongeant du comptoir. La femme se pencha pour voir. C'était incongru cette femme penchée au-dessus du comptoir pour suivre une main d'inconnu qui s'arrêta au genou. Elle se redressa en rougissant : Eh bée vous n'étiez pas grand! Et vous n'êtes pas revenu depuis? Non? En tout cas vous parlez bien le français pour un Espagnol! Il ne jugea pas nécessaire d'expliquer qu'il n'était pas d'Espagne mais d'Amérique et Américain du Mexique. En fait Basque Américain, corrigea-t-il mentalement comme si ses grands-parents, du sous-sol, étaient en train d'écouter. Mais les choses anciennes, famille, patrie, l'ennuyaient.

Sur Biarritz régnait cette radieuse vieillesse de l'été qu'est l'automne. Les nuages qui couvraient encore l'aéroport avaient disparu. Le soleil exposait les vagues. A peine arrivé dans sa chambre d'hôtel, à peine reportés, par téléphone, les rendez-vous, Etxemendi eut si chaud qu'il décida d'aller se baigner. Il s'allongea sur le lit et s'endormit.

La faim le réveilla vers cinq heures. Il n'avait pas déjeuné. Il se résolut à marcher jusqu'au dîner pour entretenir sa faim. Il disait marcher, pas se promener, la promenade regagnait ainsi la fonction rassurante d'une activité. Prenant notes et mesures il parcourait pendant des kilomètres son lieu de travail, le paysage, à pied. Jamais en voiture ou en Jeep. Il existait d'ailleurs peu de routes carrossables dans les régions où il construisait des barrages. Un instant, pendant ses études d'ingénieur, l'idée qu'il s'était trompé et qu'il eût préféré être architecte lui avait traversé l'esprit. Il avait fait une croix. C'était un homme sans repentirs.

Il marcha néanmoins dans Biarritz comme dans un projet que lui aurait confié un cabinet d'études utopiques. Il commença par faire exploser du regard un immeuble puis continua, abattant des blocs entiers. Il redistribuait l'espace autour des villas rococo et des pâtés Napoléon III en sifflotant une marche militaire que les armées de Maximilien avaient introduite au Mexique. Il marcha en long, pas en large, jusqu'à Chiberta par la Chambre d'amour puis retourna et ce furent la Grande Plage, le rocher de la Vierge, le Port Vieux jusqu'à la côte des Basques. Les noms revenaient au fur et à mesure, comme des souvenirs, mais il était tout à son activité marquée d'une croix. Il réhabilita les matériaux anciens qui résistent tellement mieux au sel et à l'humidité. Il reboisait ici, supprimant un parking et offrant aux vagues une perspective plus aimable avec vue sur les pins. Il consolidait là. Il constata les éboulis de rochers, le glissement progressif de la falaise, l'insécurité des maisons perchées sur la côte des Fous. Et quand, ayant redressé tous les torts infligés à la ville, depuis des décennies, par l'impéritie de ses notables, il s'attabla pour dîner au port des Pêcheurs à la terrasse de chez Albert, la première chose qu'il demanda au garçon fut : Mais qui donc gouverne ici ? Un errepéhère, lui fut-il répondu. Il ne demanda pas même ce que c'était. Il contemplait les pieds du garçon, nus dans des espadrilles.

De sa première paire d'espadrilles, blanches, revenait l'événement. L'impression d'être devenu sourd ou muet parmi les bruits du monde. Cette bizarrerie se renversait en avantage exaltant. Sur des semelles de corde on est silencieux comme l'oiseau qui vole, on avance à pas de loup, à pas de sioux, sans que personne entende, ni la dame ni Amatxi, sur des semelles de corde on est clandestin. Si un sandalier eût été ouvert à dix heures du soir, sûr et certain qu'il aurait vendu une paire d'espadrilles. Alors le pas eût été silencieux.

Etxemendi, qui croyait à l'instinct, prit à gauche puis à droite puis encore à gauche et se retrouva nulle part, c'est-à-dire qu'il ne reconnut rien. Il retourna à son point de repère, la plage du Miramar, la lune était de quart, et il recommença mais cette fois par la rue des Vagues puisque c'est cette rue qu'il empruntait autrefois avec la dame pour rentrer. Il s'enfonça de nouveau à gauche puis à droite et de nouveau à gauche. Les rues s'offraient différentes à cette hauteur, elles grimpaient davantage. C'était bon signe. On mettait toujours plus de temps à revenir de la plage qu'à y aller.

Le silence le surprit. Il approchait peut-être. De la maison on n'entendait l'océan que par soirs de tempête et ce soir-là était paisible. Mais du silence surgit aussi la laideur. L'éclairage public faisait la lumière sur de hideux jardinets. A l'intérieur des jardinets les chiens, gardiens de volumes éteints aux volets fermés, rompant la paix se mirent à aboyer. Quartier de retraités. Comme tout avait changé! A moins que l'enfance ne soit incapable de distinguer le beau du laid.

L'air, l'air seul, doux immobile, était le même. Il ne bougeait qu'à l'intérieur de cet homme, poursuivant une tâche invisible, allant réveiller sur on ne sait quel lobe des circonvolutions endormies puis les dépliant tout au long de la poitrine qui s'attendrissait.

Décidément non, protesta Etxemendi depuis ses fondements clairs. Je suis en train de me fourvoyer. La maison de la dame ne se trouvait pas dans ce quartier. Est-ce qu'elle la louait ou la tenait-elle de famille? Et mon Amatxi, pourquoi de sa campagne venait-elle servir l'été? La dame, emmenait-elle le petit-fils de la servante à la plage par pitié, ou parce qu'elle n'avait personne d'autre? Où était le mari? Mon frère a dû débrouiller tout ça, le pauvre, il serait comme un poisson dans l'eau dans ces vieilles choses. Moi franchement... Il y avait de grands arbres autour, j'en jurerais. Je n'aurais jamais dû remettre les pieds ici...

Les commémorations l'embêtaient. Cependant il grimpait encore, longeant le vert sombre d'un golf que balayait à son rythme le phare. Et il tourna une dernière fois, vraiment la dernière, vaguement, pour voir.

C'était une impasse. Il ne s'en rendit pas compte tout de suite. Il crut qu'il touchait au but car, au bout de l'allée, au fond de l'impasse, à gauche, brillait une petite villa diffusant une sorte de buée rose. Comme si le simple fait d'être éclairée eût décliné l'identité désirée! A mesure qu'il avançait Etxemendi sentit bien que non, ce n'était pas ça : Amatxi redoutait de rester seule au milieu des grands arbres alors que la villa qui brillait avait des voisines. Il ralentit mais continua. Jusqu'à la grille. Or la grille était entrouverte. Il hésita. Et c'est alors qu'il fit ce pas qui ne lui ressemblait guère, qu'il quitta la voie autorisée du chemin public pour entrer sans raison, vers minuit, dans une propriété privée.

Un pas clair, même en pleine nuit, un pas assuré, n'eût pas fait crisser le gravier de cette façon louche, évoquant un qui se cache ou un qui n'est pas franc. Il arrive qu'on ne retrouve pas son chemin et qu'on le demande, même fort tard. Mais l'homme au pas n'avait rien à demander. D'ailleurs qui se perdrait près d'un phare? Et s'il avait été fatigué, comme il prétendra tout à l'heure, il aurait fait demi-tour et non ce pas de plus.

2

Au bout de la contre-allée se trouvait la lumière, accrochée au noir, une baie vitrée de lumière, vide. Etxemendi s'avança pour admirer. Un peu de noir alors entra dans le tableau, par le bas, comme une plante. Une chevelure. Puis une forme poussa jusqu'à la taille. Au milieu de la baie ouverte elle écoutait l'air, la nuit, immobile. Mais balayée par le rayon du phare l'ombre du pittosporum se déplaça légèrement vers les buis. Le gravier de nouveau crissa. Alors la forme s'éloigna de la fenêtre et une autre lumière s'alluma à côté, d'où surgit un jardin d'hiver avec une femme dedans, petite mais entière. Elle se dirigea avec décision vers la porte de verre et l'ouvrit.

A cause de toutes ces vitres Etxemendi ne parvenait pas à distinguer si elle était dehors ou dedans. Dehors sans doute puisqu'elle redevenait ombre. Il crut entendre : venez! ou entrez! C'était invraisemblable. Elle l'avait vu et contre toute logique l'ombre ne criait pas, au contraire, murmurait, comme s'il ne fallait pas que les voisins entendent, une invitation à entrer. A moins que ce ne soient les choses qui aient parlé en s'ouvrant, la grille et maintenant la porte. Se détachant des buis, Etxemendi avança vers la voix.

Elle s'effaça pour le laisser entrer et referma la porte. Il crut entendre un tour de clef, se retourna instinctivement mais elle l'avait déjà dépassé, éteignant derrière elle le jardin d'hiver. Il la suivit docilement dans la pièce qu'il avait aperçue de loin. Elle se hâtait de fermer la fenêtre, de tirer les rideaux. Il pensa simultanément qu'elle agissait ainsi à cause de lui mais que ce même lui, à deux cents mètres passant alors, n'aurait rien vu briller du tout au bout de l'impasse. Lorsqu'elle eut accompli rapidement ces gestes qui les enfermaient ensemble, elle se tourna vers lui et dit avec gravité :

– Ici vous êtes en sécurité.

Ahuri, il la dévisagea, cherchant dans ses traits l'explication de ses mouvements. A aucun moment il n'avait éprouvé un sentiment d'insécurité, sauf au tour de clef. Il s'était un peu égaré en arrière, dans le passé, mais ça elle ne pouvait pas savoir. Elle faisait le même effort de l'autre côté de la table, tendant son visage, ou plutôt le levant vers lui car elle ne lui arrivait même pas à l'épaule. Il était aussi haut que le lampadaire.

Habitué à ce que ses amies, ses femmes comme il disait, se mettent à la hauteur avec des talons et lui offrent leurs traits maquillés, il perdit de vue ce qu'il attendait, la réponse à sa question tacite, et se laissa désorienter par ce visage sans indications, sans fard. Elle avait un visage né à la campagne, venu à la Cour puis reparti en province, civilisé. L'Europe finalement, non plus quelques pas mais quelques siècles en arrière. Ce repère l'ayant satisfait, il sourit. Elle parut plus inquiète.

Il fallait absolument rompre ce silence. Elle l'avait invité mais il était quand même entré dans son jardin sans permission. Et ma tête, se demandait-il, ma tête taillée au couteau, qu'en pense-t-elle ? Il craignait de paraître rude dans cette pièce plutôt douce. Elle eut un mouvement de bras plein de clémence qui signifiait aussi bien « c'est ainsi » que « faites comme chez vous ». C'est qu'il ne se sentait pas du tout comme chez lui dans cet endroit encombré de papiers, de livres, sans instruments de mesures. De plus elle allumait une cigarette. Il chercha automatiquement du feu dans ses poches comme s'il avait jamais possédé un briquet. Il remarqua la main fine, hâlée, petite, qui tremblait. Aucun doute il lui faisait peur, il l'effrayait, c'était le comble! Il ouvrit la bouche pour la rassurer mais ce fut encore elle qui parla :

– Oui, je vous assure, en sécurité.

Elle recommençait. L'idée le traversa qu'elle était folle. Lui-même n'avait-il pas un grain depuis quelques heures? Mais la voix, le regard, le port, la main au bracelet vert, toute cette sagesse? Il se rendit.

J'avais beaucoup marché, commença-t-il pour un long récit, prêt à remonter dans l'avion, mais lequel? Il n'était plus sûr du commencement, il hésita, mentit. J'avais beaucoup marché, reprit-il, j'étais très fatigué et c'est alors que. Je vous en prie, interrompit-elle, vous n'avez pas à vous excuser. Mais si. Non non, elle rangea nerveusement ses cheveux dans l'élastique vert mousseux qu'il avait pris, à son poignet, pour un bracelet. Malgré lui il raisonnait. Si je me tais je l'apeure, si je parle je l'énerve, que faire? Il s'était rarement posé la question pour de bon. Or cette femme devant lui devenait blanche sous sa chevelure noire, son teint de brune se retirait. Elle perdait sa belle assurance. Par inquiétude de l'effet qu'il croyait produire Etxemendi, d'un coup, retrouva les usages et se présenta.

– Etxemendi. Julián Etxemendi.

– Mon Dieu!

Elle tomba assise dans un fauteuil. Elle se cacha le visage dans les mains. Quiconque, en Amérique, eût réagi de façon si catastrophée à son nom eût essuyé une insulte ou un coup de poing. Même une folle ayant ses vapeurs eût reçu la leçon, moins rudement qu'un mâle mais tout aussi cinglante. Sa famille à ce qu'il sache n'avait point commis de crime. Sa grand-mère avait servi l'été parce que c'était la guerre, un temps où se commettaient des actions autrement serviles et honteuses. Il entendit son grand-père arriver en courant avec son makila, la cloche des moutons qui suivaient en courant, et cependant il ne réagit pas. L'instinct se dérobait. Un doute affleurait. Elle avait changé dès qu'il avait ouvert la bouche, elle s'était effondrée en entendant son nom. Savait-elle quelque chose à son sujet que lui-même ignorait?

Quand elle ôta les mains de son visage, il le vit enflammé de la rougeur des brunes et ça enfin il reconnut, il en fut presque reconnaissant. Elle avait dû être ébranlée jusqu'au tréfonds. Déjà, pourtant, elle se relevait. Elle avait de l'allure pour une femme si petite. Debout, les mains posées sur la table de chêne, cherchant des yeux l'appui du chêne, elle fit une étrange confession.

– Je vous dois des excuses pour mon comportement. Et une explication. Je me suis trompée. J'ai entendu des pas sur le gravier. Je pensais à quelqu'un. Quelqu'un qui est en difficulté. Le pas hésitait. J'ai cru que c'était lui.

– Mais quand vous m'avez vu, vous avez bien vu que je n'étais pas lui?

– Non.

– Non?

– Non.

– Alors vous ne le connaissez pas?

– Je ne le connais pas. Je n'ai vu de lui qu'une mauvaise photographie floue. Mais j'ai entendu parler de lui par quelqu'un qui était à l'école avec lui. Et par les journaux bien sûr. Je l'imaginais moins grand, plus jeune, maigre comme vous, et très fatigué. Vos premières paroles ont été pour dire que vous aviez beaucoup marché, que vous étiez très fatigué. Ce ne sont pas vos propos qui m'ont surpris mais votre voix. Vous avez, en parlant, un accent. L'accent d'un Espagnol parlant français. J'ai eu le sentiment que je me trompais, qu'il n'était pas vous, je veux dire que vous n'étiez pas lui, mais c'est comme si je ne voulais pas entendre. Je ne pensais qu'à suivre mon idée jusqu'au bout, qu'à ne pas me dérober, qu'à vous offrir, lui offrir... l'hospitalité pour la nuit. Comme tous les gens d'ici je le sais en fuite et susceptible de demander refuge. Quand vous vous êtes présenté, que vous avez décliné votre nom, j'ai compris ma méprise. Et combien toute cette imagination mienne est ridicule. Je vous prie vraiment de me pardonner.

– Non.

C'était un non ferme. Le mot qu'Etxemendi prononçait le mieux, avec le oui. Car il n'était pas homme du peut-être, du sans doute, du doute. Elle n'avait rien à se faire pardonner. Il était entré dans son jardin. Comme elle s'était emballée en parlant il avait de la difficulté à suivre. Certains mots lui échappaient mais son instinct l'avertissait qu'elle se faisait du mal. Les brunes s'infligent plus de mal que les blondes. Maintenant il voulait le nom de l'homme avec lequel il avait été confondu.

– Lui, qui est-ce?

La réponse à cette question pourtant simple parut la jeter dans un embarras tel qu'il se demanda si elle n'avait pas inventé toute cette histoire. Elle fixait la table comme si le chêne pouvait répondre à sa place. Aiguillonné par sa gêne, il insista.

– Qui donc, qui?

– Bidart, répondit-elle.

Bidart. Il revit une plage, sur la plage son copain Antxon. Il entendit appeler. Julen! Antxon! criait la dame, venez m'aider, le parasol ne veut pas s'ouvrir. C'était un nom de village, de plage au bord de l'océan, avant ou après Guétary. Etxemendi, lui, portait un nom plus intérieur : maison de la montagne, telle était la signification de son nom. Il lui fut désagréable qu'elle ait confondu l'intérieur et le littoral. Il n'osa pas le dire.

– Alors alors, dit-il à la place, Bidart est quelqu'un?

Étonnée par cette réaction elle leva la tête. Elle mit un temps à se souvenir que vaste est le monde et cette fois parla bravement, droit dans les yeux :

– Oui. C'est un Français, un Basque, poursuivi par la police. Il aurait tué deux hommes. Peut-être davantage.

3

C'était l'époque de la grande battue, on cherchait Bidart d'un bout à l'autre des Pyrénées. On avait failli le prendre au début de l'été dans les Hautes-Pyrénées, du côté d'Argelès-Gazost, mais si deux de ses camarades (elle ne disait pas complices) avaient été arrêtés, lui avait réussi à s'enfuir. Pourtant des centaines de gendarmes, de policiers, des chiens, des hélicoptères avaient sillonné de fond en comble le massif. Ils avaient même fouillé les galeries d'anciennes mines désaffectées de zinc et d'argent par où il aurait pu s'échapper. En vain. Fin août il était réapparu dans les Landes, à Biscarrosse. Là il avait commis son second geste irréparable. Le premier avait eu lieu trois ou quatre ans auparavant, à Léon, toujours dans les Landes. On eût dit qu'un autre pays, un autre paysage portait la responsabilité. Par « geste irréparable » vous entendez bien meurtre? Oui. Qui aurait-il tué? Un gendarme, chaque fois. S'il était suspect d'avoir tué des voleurs, il paraîtrait moins coupable. Aux yeux de qui? demanda innocemment Etxemendi. Oh peu importe, fit-elle, c'étaient de jeunes gendarmes. Et comme si la jeunesse, balayant les discussions oiseuses, l'emportait par son statut inviolable, elle répéta « de jeunes gendarmes ».

Bidart vivait dans la clandestinité depuis une attaque à main armée et à visage découvert. Il n'avait pas aperçu la caméra qui filmait. Après, le garçon qui l'accompagnait (elle ne disait pas malfaiteur) avait été arrêté et depuis lui se cachait, déjouant tous les pièges. Elle m'a pris pour un criminel, se répétait Etxemendi, c'est la première fois de ma vie que ça arrive, vraiment ça ne m'était jamais arrivé. Ce sont des délinquants ou bien des fous? Il posa la question au pluriel pour noyer le poisson et qu'elle ne vît pas son effarement d'avoir été ainsi confondu. Ni l'un ni l'autre, répondit-elle, bien qu'il y paraisse car ils agissent follement, comme des délinquants. Ils volent des voitures, attaquent des banques, plastiquent des maisons dans la montagne, font exploser des rochers devant la caravane du Tour de France, des bombes dans les perceptions. Le dispositif est si fruste : une bouteille de gaz, une minuterie, un détonateur, qu'une fois sur quatre il explose entre les mains de celui qui tourne les aiguilles de la montre.

Et c'est à un homme pareil que vous ouvrez votre porte! Car c'est évidemment là qu'Etxemendi explosa. Il avait laissé faire sa grande voix qui, ce soir un peu enrouée, parut gronder. La femme brune retrouva son salon plein de reproche. Elle considéra ce reproche puis autre chose.

– Il préférerait ne pas, ne pas agir ainsi.

– Qu'en savez-vous?

– J'en suis sûre. Il est perdu.

– Il l'a voulu.

– Ne croyez pas cela. Comment voudrait-il se perdre puisqu'il est chrétien? C'est un ancien séminariste.

Staline aussi, se rappela Etxemendi trop tard. La vengeance de l'esprit de l'escalier consista à lui faire remonter celui de l'église quand il était enfant et qu'il accompagnait son grand-père. Les hommes, à l'étage, chantaient si fort qu'en bas le répons des femmes n'avait pas plus de vigueur qu'un bêlement de brebis.

Que voulaient-ils au juste ? Chasser les touristes, officialiser la langue basque ? Ils s'expliquaient mal ou pas du tout. Ce n'étaient pas des politiques. Impressionnés sans doute par les *etarras*, ils avaient voulu les imiter. Ils n'en avaient pas les raisons ni les moyens.

– Les quoi ?

– Ceux du mouvement de libération.

– Quelle libération ?

– Êtes-vous Basque ou non à la fin ?

– Et vous ? répondit-il enfin du tac au tac.

– Moi pas.

– Moi si.

– Alors comment n'avez-vous jamais entendu parler de tout ça ?

– Moi ? C'est que je viens d'arriver, plaida ardemment Etxemendi. Je suis Basque mais Américain. Je n'ai pas remis les pieds dans ce pays depuis l'âge de neuf ans !

– Ah bon, je comprends, je ne savais pas, au fait comment aurais-je su ? Elle souriait enfin. Voulez-vous un café, un verre de vin ?

Assis chacun d'un côté de la table, une bouteille de Jurançon entre eux, on eût dit qu'ils avaient désormais tout le temps. A l'extrême tension du début avait succédé le soulagement que rien d'extrême justement ne fût survenu. Une aise un peu nerveuse de parler ensemble sans se connaître ou de se connaître par malentendu. L'excitation aussi que provoque toute histoire où il y a des morts produisait son ouvrage et l'allégement inconscient d'être hors du coup. Tout cela les tenait fort éveillés en pleine nuit bien qu'on fût demain, un autre jour.

Ceux du Nord, poursuivait-elle, Iparretarrak avaient quand même à voir avec Ceux du Sud. Elle précisa que le Nord était en France, le Sud en Espagne et ceux qui voulaient la réunification portaient le nom d'*etarras*, parce qu'ils appartiennent à ETA, qu'il entendit État. Non non non, s'empressa-t-elle, ou alors État Basque qui se composerait... Je sais je sais, fit-il à son tour précipitamment, comme si elle avait l'intention de lui réciter les sept provinces jusqu'à ce qu'il les sache par cœur, alors ici apparemment l'Est et l'Ouest ne comptent pas. C'est vrai, concéda-t-elle, et cette concession l'embellit.

Pas d'Est pas d'Ouest lui avait plu et, jonglant avec les points cardinaux, elle reporta leur opposition sur l'opposition Nord-Sud, pays riches-pays pauvres. Sauf qu'il fallait encore inverser les choses puisque ici c'est le Nord qui est pauvre, et riche le Sud avec ses usines, coopératives, etc. S'embrouillait-elle ou en avait-il assez? Il ne retenait plus rien. « Plate-forme KAS » ou « les cinq points », ces expressions entre ses lèvres gardaient leurs guillemets. Seul le droit d'asile qu'il détourna confusément à son bénéfice trouvait grâce à ses yeux. Maintenant Etxemendi avait envie qu'on parlât de soi. Et comme elle comparait le mouvement pauvre et flou de Ceux du Nord à la force de l'autre côté où se trouvent les racines, il éprouva une irrépressible envie de la ramener doucement à la maison. Était-ce à la pauvreté qu'elle ouvrait grand sa porte?

Elle secoua la tête, assombrie. Dans ce nuage il entrevit l'éclat de ses boucles d'oreilles. Un bijou, elle portait un bijou. J'aurais ouvert ma porte à n'importe quel réfugié, dit-elle.

Elle aurait pu être la sœur de mon frère, pensa-t-il. Elle lui apportait étrangement la pensée de son frère immobile. A lui, elle n'aurait sans doute eu rien à expliquer. Dans l'espace qui séparait le lit de la chaise longue, devant la sierra, s'engouffraient les affaires de ce monde. Que de papiers ici aussi! Mon frère, commença-t-il. Votre frère? Mon pauvre frère. Pas envie de continuer, guère le goût d'expliquer. Elle prit un air de circonstance. L'humanité entière ne méritait-elle donc que sa pitié? Il se sentit aussi petit dans sa pitié qu'un point à l'horizon. Pourquoi s'intéressait-elle moins à lui qu'au fou des Landes? A l'heure où l'esprit tombe, où le sommeil frappe son coup de massue par-derrière (ou par-devant quand le corps est satisfait), Etxemendi n'avait pas sommeil. Assis face à une femme qui ne le voyait pas, il mesurait 1 m 92 en vain. Son impuissance à entrer dans le champ, à devenir aussi visible et précis que ce qui ne s'y trouvait pas le décontenançait. Alors eut lieu le grand mouvement qu'il n'avait jamais appris à connaître, donc à maîtriser, le mouvement de fond qui le portait là où sa décision ne serait pas allée, le même qui, tout à l'heure, lui avait fait faire un pas puis un autre en direction de cette maison, le même se manifesta autrement, soudainement le fit se lever, tourner autour de la table et, cédant sa hauteur, plier, s'accroupir littéralement devant cette femme. Les deux mains posées sur l'accoudoir du fauteuil, sans l'avoir prémédité ni même désiré, il demanda : Gardez-moi cette nuit.

Qui avait parlé? D'où venait cette voix dont la gorge refusait le passage? De quel double, de quel enfant clandestin dans le grand étranger? Lequel formulait la demande, priait qu'on l'empêchât de partir, qu'on le surveillât, qu'on le protégeât? Ou bien encore parce qu'il était un homme et elle une femme qu'elle le prît dans sa nuit et ne la donnât pas à un autre, à l'absent? Tout est possible.

La petite brune revint de loin, de l'irréel elle revint, pour repartir encore plus loin, vers l'inimaginable. Elle connaissait certainement un raccourci. Elle vit Etxemendi en contrebas, beaucoup d'inconnu remonté d'un coup au visage. Elle vit le gouvernail de ce visage, la ligne droite imaginaire qu'on peut tirer du front au nez et qu'interrompt superbement l'entre-regard en creux. De part et d'autre de ce creux où le nez prend élan pour devenir si droit, elle vit le bleu, le clair bleu céleste de ses yeux. Elle n'hésita plus, elle y plongea les siens. Puis, sans autrement le toucher, posa la main sur ses cheveux comme entre la chair et le paysage. Etxemendi se concentra là-haut dans cette petite étendue qu'elle recouvrait d'une main. Il se déplaça même un peu afin de se trouver exactement face à cette main. Le poids de son corps bascula des talons aux genoux. Il se retrouva agenouillé. Même dans cette position inconfortable il aurait trouvé la force de la soulever à bout de bras. Il inclina le visage dans sa jupe. Dans les plis de sa jupe, il cacha son visage. Il n'eut même plus de visage.

4

Éteinte derrière eux l'électricité réapparut devant. Mais sur le seuil de cette nouvelle pièce l'hôtesse fit demi-tour. Un tour entier d'hésitation qui la mena quasiment à l'autre bout, au pied d'un escalier qui montait sans doute vers des chambres. Etxemendi se tenait droit dans sa chemise, sa veste sur l'épaule. Son immobilité rendit à la femme sa souveraineté. Elle se ravisa, abandonna l'escalier, retourna vers la pièce qu'elle avait naturellement éclairée en premier. Etxemendi comprit que c'était sa chambre à elle et qu'il y serait gardé.

Sur le store en tissu baissé devant la fenêtre tombaient des cerises. Assis sur le lit il écouta l'eau courir dans la salle de bains. Il revit des cageots de cerises au bout d'un chemin qui attendaient le char à bœufs. Amatxi en haut d'une échelle. Il ôta sa montre et la déposa sur la table de nuit près d'un verre d'eau plein qu'il vida d'un trait. Quand elle sortit il ne vit que la forme pure de ses jambes marchant vers le lit. Elle avait gardé son tee-shirt blanc. Alors il ne se déshabilla pas jusqu'au bout. Dès qu'il eut posé ses vêtements, à l'exception d'un seul, elle fit la nuit dans sa chambre. Derrière le store le phare se reprit à battre mais faiblement, sans plus de mission auprès de ceux qui s'enferment sur terre.

Ainsi furent-ils dans le même lit par Fortune non par hasard. Ils n'avaient pas été transportés et déposés là passivement. Celle qui était passée il y a trois heures sur sa boule, l'aveugle, la déesse à la roue, n'aurait pu les piloter jusque-là s'ils n'avaient saisi l'Occasion, sa servante. Maintenant, ce peu de linge gardé sur soi comme un rappel de l'heure où ils ne se connaissaient pas intimidait Etxemendi. Seul il dormait en pyjama, nu avec une femme. Et il n'était ni l'un ni l'autre. Délibérément il n'aurait pas franchi la frontière, il serait resté coi si son bras gauche, parti en éclaireur reconnaître l'autre bord du lit au-dessus du corps qu'il pensait éviter, n'eut miraculeusement atterri sur une douce forme arrondie. C'était l'épaule. L'échancrure du tee-shirt l'avait découverte. Isolées par surprise dans leur finistère main et épaule frayèrent longuement. Elle avait une peau délectable. Le bras de l'homme faiblissant s'abandonna à la surface de coton sous laquelle elle respirait. Précédant le visage leurs haleines se croisèrent mais les jambes furent plus rapides et quand celles qu'il avait vues nues, fraîches comme un gave, furent entre les siennes, il y eut un tremblement de ciel. Il fut envahi. Le désir soufflait dans son corps à travers les voiles légères si fort qu'elle en sentit le halo contre sa cuisse. Il ne voyait pas plus la cause du raidissement merveilleux qu'elle n'en voyait l'effet, elle le sentait seulement. Les yeux grands ouverts elle fixait le store devant la fenêtre ouverte qui lui aussi se gonflait, palpitait, laissait passer de chaudes effluves car le vent du sud s'était mis à souffler. Et cette femme qui avait eu si froid, si longtemps, eut un moment de délice ne sachant vers quel côté se tourner.

Etxemendi voulut l'appeler pour lui dire cela précisément, qu'elle se tournât vers lui, qu'elle vînt vers lui autant qu'il la désirait, plus une autre chose qui venait de lui apparaître et le réjouissait à l'égal de l'à venir lorsqu'il se rendit compte qu'il ne pouvait pas l'appeler : il ne connaissait pas son nom. Lui qui s'était plaint intérieurement toute la soirée de ne pas l'intéresser n'avait pas songé un instant à lui demander son prénom. Et au lieu de l'appeler n'importe comment, par un de ces termes universels qui ravissent l'appelée, au lieu de lui murmurer très désirée par exemple, ou toi, ou femme chérie, peu importe, ce maladroit, cet animal d'un demi-siècle, plus proche de sa dernière que de sa première femme, fut tout juste capable d'articuler : Comment vous appelez-vous ? Et le pire arriva. Il entendit un nom d'homme.

Elle appelait un autre homme, un autre que lui en cet instant. Elle ne se souvenait plus de leur rencontre, elle ne se souviendrait même pas de son prénom. Il y aurait toujours un autre entre eux. Qu'elle se trompât encore en cet instant rompit net son courage. Le vent tomba de son côté. Dans la fenêtre il continuait. Non non, dit-elle d'une toute petite voix, Ramone avec un e. Et dans cet e muet à l'oreille étrangère elle mit un rire désolé, un sanglot de rire tant la précision était gênante, la protestation indigne. Déchargé à la fois de l'éclair et du doute, l'homme s'endormit.

L'ingénieur Etxemendi se réveilla dans une chambre inconnue. Il avait très sommeil et ne comprit pas pourquoi il se réveillait. Son regard fut attiré par un store en tissu gonflé d'air sur lequel pleuvaient des cerises. Est-ce le jour qui rougeoyait ainsi ? Il faisait lourd, il était en sueur, il agita le drap, ignorant que l'air était plus chaud que lui. Lorsqu'il aperçut dans un long tee-shirt blanc une chevelure noire, le nom de Ramone avec un e sur lequel il était tombé revint. Suivit un sentiment désagréable à chasser plutôt qu'à élucider s'il voulait se rendormir. Mais se rendormir seul. Il serait parti à l'anglaise si la forme couchée près de lui n'avait eu les yeux ouverts. Un visage de veille, de veille comme un reproche. Il ne put le supporter. Je vous empêche de dormir, dit-il, je vais m'en aller.

Elle ne dit pas non, elle ne le retint pas. A tâtons il retrouva ses vêtements. Sur le point de demander s'il n'y avait pas dehors un incendie il préféra se taire. Quand il se retourna vêtu, elle avait enfilé un peignoir à larges manches et se dirigeait vers la porte. Il regrettait sourdement d'être ainsi raccompagné comme si cet ultime geste de civilité accentuait sa propre grossièreté. Son esprit chercha à tâtons quelque façon seigneuriale de prendre congé. Il n'en trouva pas. Impossible de s'arracher une parole. Pourtant, juste sur le seuil de la porte qu'il avait franchie la veille en premier, il trouva. Alors il se courba cérémonieusement et au peignoir où volaient des cigognes parut faire allégeance. Il s'inclina. Et, se frayant passage à travers le banc d'oiseaux migrateurs, rencontra une main douce qu'il porta à ses lèvres. Puis il s'éloigna à grands pas jusqu'à la grille où il se retourna comme un somnambule. Sur fond de ciel enflammé, d'aube bleu roi et rouge, il vit une maison pâle dont l'hôtesse avait disparu. Envolée. Dans l'air chaud qui soufflait contre lui, dormant debout, il retrouva son chemin, jusqu'à son lit d'hôtel dans lequel il s'enfonça massivement, à plat ventre.

5

Professionnellement il était en retard. Professionnellement horriblement en retard. Du bout des doigts il parcourut les deux tables de nuit, pas de montre. Sur son poignet non plus. D'un bond il fut debout. L'heure ne se trouvait nulle part, ni sur le guéridon avec ses papiers ni dans les poches de ses vêtements. Et que serait-elle allée faire dans une poche ! Il se précipita au balcon. Un soleil haut réglait le monde. Tout était parfaitement en place : ciel et eau d'un côté, poudingue de constructions et sable fin de l'autre. En même temps un vent chaud lui lécha la poitrine et lui porta au cœur. J'ai mal au cœur, gémit-il, qu'ai-je donc bien pu manger ou boire ? Alors il revit sa montre, en esprit seulement, près d'un verre d'eau vide.

De l'autre côté de l'Atlantique, sa ponctualité était légendaire mais de ce côté-ci ses retards répétés risquaient de le faire prendre pour un jean-foutre. Il se mit à téléphoner à droite à gauche. Comme la fille des voitures et le notaire étaient allés déjeuner, alors, en attendant deux heures, il partit réaliser son désir de la veille.

Sur la plage du Miramar, pantalons retroussés, des

vieux discutaient. Une adolescente donnait sa cigarette à fumer au vent. Des filles échappées du bureau croquaient une pomme. Leurs enfants à la demi-pension, quelques dames lisaient des livres. On respirait. Dans l'eau, pratiquement personne. Pour avoir un repère, Etxemendi plia ses affaires face à une roche percée et il courut se baigner. L'eau était chaude au contact de l'air, en dessous plus agitée. La tête vide, le corps actif, il crawla jusqu'à son repère, se hissa sur sa traîne rocheuse et fit une petite halte. Il revit dans la baie ce qu'il avait détruit et réhabilité la veille, à l'exception du phare, de l'autre côté de la roche, qui réapparaîtrait au retour. Il plongea.

C'est que le retour ne ressemblait plus à l'aller. Les vagues attaquaient de partout, en désordre, les dessous de l'eau remontaient en surface. Il en perdait le souffle. La plage ne se rapprochait pas, au contraire, ses bras battaient et brassaient en vain. Il prit brusquement conscience qu'il se trouvait seul dans l'Océan.

Dans ce moment affolé où l'esprit déjà se noie, Etxemendi fit la planche. Des paquets d'eau salée trouvèrent ses yeux fermés. Les ayant rouverts, dans un moment d'accalmie, il mesura la distance qui le séparait du rivage, se plaça perpendiculairement à lui et, sur le dos, mit en marche la mécanique de ses jambes, la toute-puissance de ses cuisses. Il y arriva, enfin il eut pied. Mais à peine eut-il pied que les vagues voulurent recommencer, le tirer de nouveau. Cette fois il se hâta de tous ses membres hors de la perfide. Aveuglé mais glorieux de sa force physique il cherchait ses affaires sur le sable lorsqu'une vieille chose qu'on dit à propos de l'amour lui revint : qu'il coupe bras et jambes. Seulement alors il fut certain qu'il ne l'avait pas fait.

Monsieur Etxemendi! D'une serviette-éponge naquit, sur son passage, une brune aux seins nus. Monsieur Etxemendi, hébé ça alors, c'était donc vous sur la Roche Ronde? Moi qui me disais celui-là ou il est fou ou bien il peut le faire! Les beaux seins nus noirs de soleil qui l'appelaient par son nom n'auraient jamais nagé, avec ce courant, jusqu'à la Roche. Interdite – sauf aux pétrels-tempête. Très dangereux, cet endroit, aux changements de marée. On aurait prévenu si on avait imaginé qu'il irait se baigner, il avait l'air si pressé... Etxemendi alors reconnut la fille aux voitures. La sienne attendait, à l'aéroport, depuis neuf heures pimpantes du matin. Il contempla alternativement cette paire de seins que rien ne séparait de lui ou du monde, et une montre à quartz, sur la serviette-éponge, qui marquait les secondes. Il était exactement treize heures quarante-six minutes six sept secondes lorsque les seins se couvrirent. La montre, comme un chien, regagna le poignet. Il fallait y aller. A cette heure l'avion de Paris arrive à l'heure. Et si, du même coup, je vous déposais à votre voiture clés en main? proposa-t-elle avec arrière-pensées. Il remonta vite à l'hôtel se changer et prendre ses papiers.

Au volant d'une Renault 5 immatriculée 64, en direction de Saint-Jean-Pied-de-Port, l'ingénieur Etxemendi se sentit un autre homme. Au bout de quelques kilomètres, à mille lieues. Déjà Ustaritz. Comme les distances avaient changé! Et quel beau tracé de route! Il en félicitait les Ponts et Chaussées français. Autrefois quand il prenait le car avec Amatxi, au début et à la fin de l'été, c'était une véritable expédition: l'ancienne route faisait de tels zigzags qu'on suçait des pastilles contre le mal de mer. La nouvelle courait presque droite. Lorsqu'ils seraient riches, rêvait sa mère dans le Nouveau Monde, ils reviendraient bâtir à Ustaritz où sont les belles maisons des riches Américains. La leur ne porterait pas un nom exotique, elle ne s'appellerait ni Acapulco, ni Talcahuano, on l'appellerait tout simplement Indianoetxea, la maison de l'Indien.

A partir de Cambo on sent la montagne se rapprocher. A chaque hauteur correspond sa ferme. Les collines se haussent en petits mondes gouvernés par une maison seule. Le dur contraste entre les sommets dévorés jusqu'à la plus petite touffe d'herbe et les vallées gorgées d'eaux et d'arbres est pour plus loin. Ici tout n'est que douceur verte, de ce vert jeune, aigu, même en octobre, que la neige recouvrira, s'il neige, sans qu'il ait vieilli. Un peu de blanc, çà et là, parsème bien le paysage; ce n'est que le pointillé des brebis qui paissent. Mobile et ambulant le matin, à cette heure il ne bouge plus. Elles paissent encore mais ralenties, quasiment épinglées sur le mont, elles se confondent avec des pierres blanches. Les grands troupeaux se trouvaient plus haut, plus loin, invisibles, prêts à redescendre en camion avec le berger. Aïtatxi, lui, redescendait à pied. On allait à sa rencontre, on entendait de loin le son de cloche de ses brebis. A Itxassou, Etxemendi enfant se retrouva dans une fête aux cerises. Non, par pitié, plus de cerises! Croix sur les cerises. Maintenant c'était l'époque des châtaignes, des champignons. A Louhossoa, il pensa aux sorcières; à Bidarray, longeant le gave, au Diable. La flèche qui indique Irissarry il ne la reçut pas en plein cœur, elle ne se retourna pas contre lui : il n'était pas vulnérable, ici, il n'était pas étranger. Il passait devant ses grands-parents maternels et le frère de son père dont il venait recueillir l'héritage. Il traversait la paix concrète dans laquelle ils reposaient. C'était le cours naturel, l'ordre des choses. Et lui, où reposerait-il? Irait-il, avec des fleurs, leur rendre visite? Pas sûr. Simplement passer, comme une habitude qu'il n'avait pas, lui convenait. La vallée allait s'élargissant. Bientôt apparut dans son large cirque de montagnes Saint-Jean, gardien de tous les ports de Cize.

Maître Aramburu n'était pas revenu d'un rendez-vous à l'extérieur mais ne saurait tarder, priait de l'excuser, ne savait plus quoi faire vu qu'il avait attendu tout hier et tout ce matin.

– Je sais je sais, fit humblement Etxemendi. Une suite de contretemps indépendants de ma volonté.

– Évidemment vous venez de loin, remarqua le clerc. Connaissez-vous Saint-Jean?

– Pas du tout et vous allez certainement me renseigner. Pour arriver à l'étude, on passe un pont sur la rivière

– Nive, Nive de Béhérobie.

– et ce pont, en dos d'âne

– Pont d'Eyheraberri, romain comme son nom l'indique.

– m'a rappelé quelque chose.

– Là je ne peux plus vous renseigner!

Etxemendi se mit à rire, le clerc aussi. N'y avait-il pas dans la région d'autres ponts en dos d'âne? Si, plein. A Baïgorry, à Bidarray... C'était là! Bidarray, le pont d'Enfer, le Diable. Mais que lui était-il donc arrivé sur ce pont? Ainsi devisaient-ils agréablement d'une sombre affaire de femme et de langue basque qui avait mené le Diable au suicide quand la porte de l'étude exécuta son carillon.

Monsieur Etxemendi ! Un gros jeune homme lui tendit la main. Il se demandait pourquoi, aujourd'hui, tout le monde l'appelait par son nom que l'autre lui en fournissait déjà l'explication : le gabarit.

– Exactement le gabarit de votre oncle. Euskara mintzazen duzu ?

– Ez, ez, répondit le neveu confus.

Il imaginait son notaire beaucoup plus vieux. Se trompait-il encore ? Une cravate noire vint à propos lui rappeler qu'un nouveau faire-part avait suivi de peu l'annonce du décès de l'oncle. Son frère avait répondu, alors il présenta ses propres condoléances. Aramburu le jeune parut décontenancé. Une forte buée passa dans son regard et il ouvrit la porte de son bureau.

– Quand j'ai rendu visite à votre oncle pour la première fois, commença maître Aramburu en se mouchant, j'y allais dans le dos de mon père. Mon père n'était pas, comment dire, un homme de gauche et votre oncle était, comment dire

– Un rouge, coupa Etxemendi, allez-y franchement, pas de préliminaires entre nous. L'ai-je connu ou pas ? Je ne m'en souviens plus mais on en parlait suffisamment dans la famille.

– Ah bon, je me sens plus à l'aise, soupira le jeune notaire. Je croyais votre père et lui brouillés à mort.

Pas faux. C'est peut-être même parce qu'il avait appris que son frère allait mourir que l'oncle avait téléphoné. Ils s'étaient réconciliés par téléphone. Ils ne s'étaient plus revus depuis la chute de Saint-Sébastien. Et, comme d'habitude, on remonta aux origines.

Quand les quatre généraux s'étaient soulevés et que la guerre avait éclaté, le père d'Etxemendi appartenait au PNV : avec le Parti National Basque il avait pris position contre le Mouvement. N'empêche qu'il en voulait toujours à la République d'avoir expulsé les jésuites chez lesquels il avait fait ses études car il était resté, toute sa vie d'ailleurs, très catholique. L'oncle, son aîné de quatre ans, travaillait dans une manufacture d'armes à Eibar. Lui appartenait à la CNT et, à l'intérieur de la Confédération Nationale du Travail, son cœur battait plutôt du côté anarchiste. Tradition Cid-guérillero-brigand, vous voyez? Les deux frères s'étaient violemment opposés au moment de l'offensive nationaliste sur Saint-Sébastien. Le père, proche des Milices Basques mais qui ne s'était jamais battu, voulait épargner les otages. L'oncle, avec la CNT, était prêt à les fusiller si les bombardements continuaient. Monnaie d'échange, vous saisissez? D'autres éléments, sans doute, entrèrent en jeu mais ils m'échappent. Reste que c'est au moment de la prise de Saint-Sébastien par les nationalistes qu'Etxemendi le père avait décidé de tout lâcher et de partir. Fuis comme un lâche, aurait hurlé l'oncle, nous ne sommes plus du même sang! Il était d'abord passé de l'autre côté des Pyrénées, dans sa belle-famille, puis, très vite, de l'autre côté de l'Océan. Il avait mis un océan entre eux. Il avait fait une croix sur le pays.

Je comprends, fit pensivement le notaire. S'il y a eu de tels affrontements à l'intérieur d'une famille qui, tout compte fait, appartenait au même camp, qu'est-ce que ça a dû être entre ceux qui se faisaient la guerre? Votre oncle, lui, est resté un *gudari* jusqu'au bout. C'est même ça que ne lui pardonnait pas mon père. Ils s'engueulaient, pardonnez-moi l'expression, comme des charretiers et quand votre oncle a voulu passer l'acte...

Aussi soudainement que le jour avait fléchi, il s'interrompit et regarda timidement sa montre : était-il temps de parler affaires? Non, dit Etxemendi avec autorité, il se fait tard, vous ne m'attendiez plus aujourd'hui, remettons à demain. Demain demain? demanda Aramburu soupçonneux. Demain demain, si c'est possible pour vous. Bien sûr, j'avais cru comprendre que vous étiez pressé mais je préfère de loin faire les choses calmement. L'étude est fermée le samedi. Ainsi pourrons-nous aller sur place. J'emporterai avec moi le dossier. Je vous montrerai la ferme, la prairie.

Rendez-vous fut pris pour demain, dix heures, au fronton d'Irissarry.

6

En même temps que la clef de sa chambre, le concierge de l'hôtel remit à Etxemendi une enveloppe brune en papier kraft, matelassée comme un petit paquet, qui portait son nom écrit avec la variante orthographique du *ch* à la place du *x* : Etchemendi. Elle contenait sa montre et sur une grande feuille blanche pliée en quatre cette phrase unique :

> En repartant si vite, vous n'avez guère oublié
> que l'heur(e).
>
> R

Avec l'initiale le nom, donc la personne, qu'il avait évité tout le jour lui tomba dessus. La veille opaque se scinda du clair passé. Hier était un gouffre entre son propre passé et lui-même. Il ne remonta pas dans sa chambre et s'assit au bar de l'hôtel.

Relisant indéfiniment les deux lignes qu'elle lui avait adressées, il se heurtait chaque fois plus fort à cette « heur(e) » qu'il ne comprenait pas. Quasiment sans s'en apercevoir il reprit un whisky alors qu'il détestait cet alcool. Le (e) faisait certainement allusion à ce qui s'était passé dans le lit. Mais quel homme, dans le noir, mis en feu par une femme, n'aurait gelé sur place en entendant ce prénom d'homme. Il avait des excuses, il était étranger! Il s'en alla demander au concierge l'heure à laquelle on – en fait qui – avait déposé le paquet. Mais le concierge de jour était rentré chez lui. Il revint au bar puis se releva pour demander, cette fois, un dictionnaire. Le concierge de nuit, de plus en plus poli, fit semblant de chercher et lui tendit un dictionnaire de poche bilingue français-anglais. Le mot sans e ne s'y trouvait pas mais ce n'était pas une preuve de son inexistence. Sans ce mot, je ne peux rien, se persuada Etxemendi de retour sur son tabouret. C'est quand même insultant – il fonça dans cette direction – oui, carrément insultant que de jouer avec les mots quand on a affaire à un étranger. Si c'est ça l'esprit français... bravo! Tout en caressant l'idée qu'elle l'avait cherché, qu'elle l'avait trouvé, qu'il n'avait jamais mentionné cet hôtel, qu'elle avait dû essuyer des échecs si elle s'était adressée ailleurs, qu'elle s'était souvenue de son nom, de son prénom...

En dehors du *ch*, à la place du *x* auquel son frère était attaché comme saint Pierre à sa croix, il découvrit sur l'enveloppe une autre source de perplexité. Avait-elle écrit Julián, Julen ou Julien? Il l'imagina, toute petite à sa grande table, hésitant entre le Julián espagnol et le Julen basque et finissant par lui accorder miséricordieusement la faveur d'un prénom français. Son côté bonne sœur. Béatitudes que lui récitait son grand-père. Heureux les pauvres, les persécutés, ceux qui ont faim et soif, etc. « C'est un ancien séminariste vous savez. » Femme facile, oui, ouvrant sa porte à n'importe qui. Une Française, rien qu'une Française offrant son lit au premier venu.

L'homme fait son travail qui est de le demander, la femme ne fait plus le sien qui est de refuser. La brune aux seins nus de l'aéroport attendait elle aussi, il avait son numéro de téléphone privé dans la poche. Mais pourquoi avait-elle ri ? C'est ce rire, dans la nuit rouge, qui avait tout gâché. Ce rire bizarre, pas gai, comme un sanglot. Il sentit au bout des doigts une épaule délectable et sur ses lèvres ce qu'il avait eu envie de dire juste au moment, avant la question fatale, quelque chose d'important. De très important. La chose la chose très importante était. Impossible à retrouver. Elle lui avait fait perdre son idée ! L'idée la plus importante, avec les femmes, est perdue. Elles font perdre le fil. Elles coupent, coupent tout. Dégoûté par l'alcool, Etxemendi retrouva son dégoût des suppositions, supputations, réfutations et autres contrariétés de l'esprit. Il tenta de balayer ces bouts incohérents pour faire, une nouvelle fois, le point : 1) sa montre avait regagné son poignet, 2) un fait concret lui échappait sous forme d'un mot. Il devait absolument savoir si le mot sans e avait ou non un sens.

Du haut de son tabouret il avait avisé depuis un moment déjà une table qui inspirait confiance. Un vieil homme en compagnie d'un adolescent, filleul ou petit-fils, qui buvaient du porto. Vers eux il se dirigea comme vers le savoir et l'étude et leur présenta, entrecoupée d'excuses, son affaire embrouillée autour d'une phrase qu'il récita, en détachant le (e) jusqu'au signé R inclus. L'homme aux cheveux blancs, qui avait fort attentivement écouté, caressa du regard son jeune homme et lui demanda : auriez-vous eu l'esprit, René, de faire parvenir à monsieur ce message exquis ?

Non non, ça jamais, par pitié, s'écria en lui-même Etxemendi. Mais à une question si retorse il ne faut, bien sûr, répondre ni oui ni non et le jeune homme, pas si brute, se contenta de hocher furieusement la tête. Je vais m'en aller, pensa Etxemendi, pareil quiproquo, c'en est trop. Se maudissant il aurait pris la fuite si le vieil homme n'avait fort courtoisement désigné le fauteuil vide en face de lui et, reprenant une gorgée de porto, commencé de démêler l'écheveau avec des doigts de fée.

– Chez une personne nommée R. vous avez, dans une circonstance inconnue de moi mais aisée à deviner, disons *x*, oublié votre montre. Cette personne vous la retourne avec un billet contenant un terme rare que je désignerai par *x'* tant les inconnues paraissent liées. Mais comme je ne voudrais pas faire d'erreur, je vous prierai de bien vouloir transcrire ici – il tendit son agenda ouvert et son crayon à mine – la phrase exacte.

Le semainier était ouvert au jour d'aujourd'hui qui faisait face à demain. Pages blanches à l'exception – en haut à droite – de la majuscule litigieuse, et finement barrées au crayon, comme à l'ombre de ce R., consacrées à lui. Effaré mais obéissant Etxemendi recopia :

> En repartant si vite, vous n'avez guère oublié
> que l'heur(e).
>
> R

– C'est le bonheur, monsieur, aucun doute, c'est bien ainsi que je l'avais de prime abord entendu. Le vieux mot latin signifiant la Fortune. Il y a la mauvaise heure, *la mala hora* comme vous dites de l'autre côté des Pyrénées, et *la buena hora*, la bonne fortune et la mauvaise. L'heur sans e, en français, est la chance heureuse. Il semble qu'il vous soit reproché de n'avoir pas su saisir l'Occasion qui, vous vous en souvenez, n'a qu'un cheveu sur la tête. R.

vous fait grief d'avoir oublié l'opportunité d'être heureux. Élégant, n'est-il pas vrai, René?

Sur le terrain, l'ingénieur n'acceptait ni soupçon ni reproche. Si, replaçant des buses emportées par l'ouragan, un de ses ouvriers lui faisait remarquer qu'en les posant plus loin on éviterait, à la prochaine catastrophe, le creux qui fait un lit naturel aux eaux vers les maisons, après un silence qui pouvait durer deux jours, il en convenait. Mais si la même réflexion provenait d'un égal, d'un supérieur ou de la municipalité, il menaçait de tout planter là. Il n'était pas ce soir sur son terrain, loin de là. Il se sentait rabaissé par le cours ordinaire des pensées qu'il avait eues au bar alors qu'il croyait dominer la situation du haut de son tabouret. Pensées si ordinaires comparées à celles qu'il venait d'entendre. En bouche de l'homme âgé le propos l'étonnait, l'instruisait, le convainquait presque; venu d'ailleurs il le désobligeait. L'interprète avait-il traduit, déduit ou inventé cette leçon de femme? Une lueur d'espoir mit fin à son mutisme.

– Franchement, dit-il, croyez-vous Ramone capable de penser à tout cela en écrivant ce mot?

– Ramón? releva l'autre. J'ai eu un ami, dans ma jeunesse, qui portait ce prénom. Puis, reprenant son ton d'exégète comme s'il avait commis, lui, l'indiscrétion : – Oui, monsieur, soyez-en persuadé, R n'a pas écrit à la légère. Ce que je viens de déplier devant vous est contenu dans son pli. Que R y ait longuement songé ou que cela lui ait sauté aux yeux comme une évidence, tout dépend du temps qui s'est déroulé entre *x*, la circonstance, et la réception du billet.

Etxemendi se serait fait hacher plutôt que de confier le laps de temps. Ils se serrèrent la main.

Maintenant il marchait sourdement, droit vers Ramone

sauf qu'il ne marchait pas droit. Courbatu par les vagues, la route, l'alcool, la leçon surtout, il allait à Canossa. Son instinct voulait qu'il tourne à gauche, il tourna à droite, à droite il tourna à gauche. Il n'avait plus confiance. Il grimpait plein d'excuses et de reproches. Le vent était tombé. La nuit fraîche piquait. Personne dans les rues. De toute façon il ne pouvait guère demander son chemin puisqu'il ne connaissait pas l'adresse. Il s'arrêta net, étranglé : il ne connaissait pas non plus le nom, le nom de famille ! Il était perdu. La mauvaise foi reflua tout entière. Il se mit à courir. Quelques gouttes de pluie commencèrent à tomber. Assoiffé il essaya de les gober. A mesure que la maison se dérobait, son besoin de la retrouver se faisait irrépressible. Il obtiendrait à genoux le pardon pour les pensées qu'il avait eues au bar et pour ce qui errait confusément dans son corps. Bientôt il ruissela sous la pluie drue. Il accordait si peu d'attention au chemin qu'il avait de moins en moins de chances de trouver. La douche céleste le dessoûlait. C'est que je ne peux plus me présenter ainsi, répétait-il en continuant, trempé, ivre, je suis imprésentable. Il prit une dernière courbe, vraiment la dernière. C'était une impasse. Il ne se rendit pas compte de suite qu'il s'agissait d'une autre impasse. La déception et le soulagement furent à égalité. Stop Etxemendi, commanda-t-il, demi-tour. Plus d'enfantillages. Et il fit demi-tour.

7

Il continuait à pleuvoir finement. Ça ne se lèvera pas de sitôt, prophétisa le garçon d'étage en déposant le plateau du petit déjeuner sur le guéridon. Comme il n'avait quasiment rien mangé depuis vingt-quatre heures, Etxemendi dévora, puis se doucha, s'habilla et sortit au volant de sa voiture. Jusque-là rien que de normal. C'est dehors que les choses commencèrent ou recommencèrent à se dérégler. D'abord il faillit emboutir une voiture à gyrophare. Il n'était pas dans son tort, elle avait grillé le feu. Un fourgon la suivait. Cent mètres plus loin il croisa trois camions militaires qui venaient en sens inverse. Des cars de police stationnaient tout au long de la rue qu'il emprunta. Il dut s'y reprendre à deux fois pour passer, en montant sur le trottoir. Au carrefour il fut bloqué. Demi-tour on ne passe pas, cria un policier. Il retint un *coño* monumental et bien lui en prit car il y en avait derrière une douzaine, armés jusqu'aux dents. Il recula, gara dès qu'il put et sous le parapluie noir que l'hôtel avait insisté pour lui faire prendre il s'en fut à grands pas, énervé. Se faire réveiller avec le jour pour rattraper en voiture une maison qui fuyait et que les forces de l'ordre se mettent de la partie pour lui compliquer la tâche était une preuve de plus que ce pays ne cherchait qu'à le contrarier. Mansuétude envers le climat, gratitude envers la pluie fine qui dessoûle et empêche d'être idiot, disparues! La satisfaction éprouvée à rouler en boule ses vêtements de la veille, parce qu'il avait trouvé dans son sac un pantalon et un tricot secs, se changea en mauvaise humeur d'avoir laissé à Paris son imperméable. Foutu pays. Restait à rejoindre le golf par l'avenue qui porte ce nom en visitant systématiquement les impasses, à pied et sous un crachin détestable. Sa résolution : mettre la main sur cette foutue villa avant de partir pour Irissarry. Au retour, de jour, si tant est qu'il se lève, passer remercier l'hôtesse de ses bontés. Et basta. Faire une croix.

Furieux d'avoir obéi comme un mouton au flic qui barrait la route, il revit la troupe prête à intervenir sur le quartier et puis, comme une bande-son légèrement en retard sur l'image, il entendit le hurlement des sirènes. Alors il se cogna le front, alors seulement il prit conscience, fit le lien police-armée-fourgon-sirène. Bon Dieu! Cette ville était en état de siège.

Attiré par un attroupement autour d'un car de police, devant un immeuble moderne, Etxemendi prêta l'oreille. Les gens pariaient qu'on trouverait des armes, comme à Saint-Pée. Si c'est pas malheureux, un quartier si tranquille! Un retraité dont le fils habitait Bayonne avait été prévenu à l'aube : rue Pannecau, ils étaient montés sur les toits pour en attraper un. Boh, ils étaient planqués depuis trois heures du matin, fit un autre. Moi je dis que c'est après la femme qu'ils en ont, il leur suffit pas d'avoir arrêté le mari. Mais monsieur c'était un dangereux terroriste. Je ne dis pas mais la femme... C'est qu'elles sont pires qu'eux, monsieur, toutes des Pasionarias! Apparemment il ne s'agissait pas de Bidart. J'ai le tuyau, chuchota un type à un photographe maigrichon qui s'empêtrait dans ses appareils, je file à la Butte-aux-Cailles. C'est là qu'ils vont les parquer. Tâche de ne pas rater la photo, on fera la une.

Escortée par un inspecteur en blouson, beau gosse qui regardait ailleurs, une femme apparut en pleurant, un petit garçon dans les bras. Mais elle ne pleurait pas comme une victime, elle pleurait comme un loup, sauvagement. Elle tenait haut son petit aux yeux noirs qui avait logé sa main dans son cou. Il émanait de ce cou nu palpitant et de cette bouche grande ouverte une chaleur tragique.

Regardez-moi cette hystérique, fit la femme du quartier tranquille. Ce n'est pas faux, pensa Etxemendi. J'ai vu des femmes dans cet état après un tremblement de terre. L'hystérie de ceux qui subissent un cataclysme. Sauf qu'on est en France et que ça a plutôt l'air d'être la loi qui intervient. Le vieil homme répondit à sa place, qu'il ne souhaitait à personne le même sort. Etxemendi s'éloigna, de plus en plus nerveux.

Au fond rien que de banal : une femme arrêtée, son enfant dans les bras, le mari déjà en prison. Une image de détresse parmi d'autres. Sauf qu'il l'avait vue, de ses yeux vue. Sa condition de témoin lui pesait, l'incluant dans l'atmosphère lugubre qui enveloppait la ville. Il se serait bien déchargé de cette image sur... Ramone seule se présenta. Savait-elle? Dormait-elle encore? Pourvu qu'il ne lui soit rien arrivé, se disait-il complètement retourné. Moi, par exemple, si j'avais dit *coño* et dans sa tête se déroula très vite l'enchaînement : *Coño.* Vos papiers. Alors tu t'appelles Etxemendi? Naturalisé Mexicain par-dessus le marché? Voyez-moi ça les gars, c'en est un et costaud. Au commissariat. On l'embarque. Allons allons, se reprit-il, il ne suffit pas de porter un nom basque, ils arrêtent des délinquants, des fous, et il se retrouva devant la bonne impasse.

La grille fermée céda à une poussée de la main. Volets baissés la villa dormait. Qu'elle était jolie ainsi, blanche dans l'air gris avec ses bow-windows roses tirant vers la terre de Sienne. Sienne. Il avait prévu de passer un mois de vacances en Europe, et après avoir expédié l'affaire basque d'aller en Italie. On l'y attendait et il était là à attendre que cette maison se réveillât ! De quand datait-elle ? D'avant-guerre en tout cas, dessinée par un architecte anglais, certainement. Avant la guerre il y avait beaucoup d'Anglais à Biarritz. Elle paraissait plus petite le jour que la nuit et bien plus tranquille. Mais cela ne ressemblait pas du tout à Ramone de se barricader ainsi. Il en eut la bouche sèche, on l'avait embarquée. Stupide, ils ne vous laissent pas le temps de fermer les volets, non, elle s'était protégée de lui, de Bidart, de quiconque eût voulu lui faire encore passer une nuit blanche. Et quelle nuit ! Quel cadeau ! En revanche R était un cadeau. Mieux valait qu'elle dormît encore, toute chaude dans son grand lit, et que ces choses dures il les ait traversées seul, parce qu'il s'était levé tôt matin. Elle apprendrait plus tard en sortant ou par la radio. Il l'aurait bien réveillée pour lui apprendre au moins une chose mais il était l'heure d'y aller. Il aurait bien laissé un mot dans la boîte aux lettres accrochée sur la grille mais il n'avait dans son portefeuille que des cartes de visite professionnelles et elle avait écrit sur une feuille blanche. La boîte ne portait pas de nom, hélas, mais contenait quelque chose qu'il attrapa : *Le Petit Basque*, une gazette d'occasions sans bande d'abonné. Un homme sorti de la villa voisine le regarda drôlement.

Il n'y a pas grand-chose à faire sur la place d'Irissarry en attendant. L'attention se déporte aussitôt sur un extraordinaire bâtiment d'aspect militaire en cours de restauration qui fait basculer dans l'infiniment petit ce qui l'entoure. Etxemendi tourna autour sous son parapluie noir, tenta de déchiffrer l'inscription espagnole, déduisit des bretèches aux angles qu'il devait s'agir d'une ancienne commanderie puis chercha où se mettre à l'abri. Il avait le choix entre un bar restaurant un bar café un bar tabac et un bar coiffeur. La demie de dix heures sonnait quand maître Aramburu sortit d'un des quatre, essoufflé comme s'il arrivait en courant de Saint-Jean. Mille excuses, s'exclama-t-il, mais ce qui se passe ici depuis ce matin est inimaginable. Je n'ai pas connu l'Occupation mais j'imagine que les rafles c'était du pareil au même. Une véritable armada s'est abattue sur le pays, il en vient de partout. Je téléphone à droite à gauche, même processus partout : des perquisitions, des interpellations, veuves femmes et enfants tout y passe. Ils ont même arrêté le vicaire du curé d'Arbonne qui n'est pas un enfant de chœur, peut-être, mais qui ne ferait pas de mal à une mouche. A croire qu'ils sont devenus fous là-haut. Venez, avec cette pluie je me suis installé avec ma serviette au café.

Dans un silence radical tous les bérets se tournèrent vers Etxemendi. *Ez bazinautan erran ere jakinen nuen haren iloba dela,* dit enfin l'unique femme. Elle posa le pichet dont elle servait les hommes et s'avança vigoureusement, bras ouverts. Ce fut le signal. Le brouhaha reprit et la langue incompréhensible se délia, même les informations à la radio étaient en euskara. Incompréhensibles aussi les regards. Empreints de sympathie, de suspicion ? L'évaluaient-ils au poids comme des maquignons ou à la parenté? Certainement la femme de Santi Potros, dit Aramburu le jeune, quand Etxemendi lui eut raconté ce qu'il avait vu. D'autant plus bizarre, dit quelqu'un à la table à côté, qu'on l'a vue encore avant-hier en train de faire le pied de grue devant la gendarmerie de Bayonne pour faire parvenir des vêtements de rechange à son mari. Santi Potros, expliqua le notaire, avait été arrêté il y a trois jours à Anglet. Ils cherchaient Bidart, un Basque français, et ils étaient tombés sur un Basque espagnol clandestin. Un dur de durs celui-là. ETA? demanda finement Etxemendi, crime de sang? Aramburu se mit à chercher quelque chose dans sa serviette derrière le rabat de laquelle il fit un petit *piano* à son client. Fournitures d'armes en tout cas, marmonna-t-il entre les dents, et directives sanglantes. Les durs sont comme votre oncle, ils se croient en guerre. Les réfugiés ne sont peut-être pas tous des agneaux mais à partir du moment où on leur accorde l'asile politique on a des devoirs envers eux. C'est pourquoi le gouvernement socialiste n'en veut plus. Partie de deux tons en dessous sa voix remontait à l'air libre. Il se leva. Bon ce n'est pas tout ça. Et la femme lui apporta un trousseau de clefs.

A peine visible depuis la route au bout d'un chemin défoncé bordé de hêtres, Baserri Eder obéissait à son nom de Belle Ferme. De type labourdin, blanche à colombages brun-rouge et à un étage. Au rez-de-chaussée la porte à côté de la grange donnait directement sur le débit de boissons tel qu'il avait été à ses débuts, dans les années cinquante : un réduit sombre, rectangulaire, tout en bois, sans chaises ni tables, où l'on buvait debout. Plus tard la grange avait été aménagée. Deux longues tables et des bancs, avec au fond un pressoir hors d'usage, des barriques de vin et de cidre. Une porte, à gauche, donnait sur la cuisine, la plus belle pièce. La taille de la cheminée et de la cuisinière à bois laissait augurer qu'on avait été nombreux à la table d'hôte. Au-dessus du large évier plat, ou pierre d'eau, une petite fenêtre donnait sur un chêne. Les plaques électriques, le frigidaire, la machine à laver la vaisselle, bref les temps modernes avaient été relégués dans la souillarde attenante. Quasiment dans la cheminée un banc de bois, dont le dossier était sculpté de grands losanges pleins, portait en appendice sur le dos un rabat sur lequel poser les verres. De l'autre côté le grand coffre où l'on rangeait les bûches. Etxemendi reconnut, occupant pratiquement tout le mur du fond, le splendide vaisselier à quatre portes dont chaque tiroir est orné d'un signe astral ou pastoral différent, qu'enfant il déchiffrait comme autant de messages sorciers. Puis il revint vers le banc et le caressa. Lui aussi il le reconnaissait, lui aussi venait de chez sa grand-mère. Zuzulu, zuzulu, murmura-t-il en le caressant, car le nom lui était revenu. Il y avait passé des heures, les pieds ne touchant pas terre, il y avait appris à lire.

A l'étage, une salle d'eau rudimentaire et trois chambres. Celle de l'oncle seule paraissait habitée. Etxemendi se recueillit un instant devant l'énorme lit vide.

8

Aramburu l'emmena manger l'omelette aux cèpes dans un village voisin pour parler plus tranquillement. Il but beaucoup. L'Irouléguy est traître. A la seconde bouteille, au confit de canard, Aramburu le jeune, assez rouge et éléphantesque, se mit à parler du vieux par l'oncle interposé.

– Les durs, j'ai essayé de les aimer, lâcha-t-il. J'ai essayé à cause de mon père qui l'était, dur, à sa façon, les nerfs, les nerfs impitoyablement tendus de la droite. Avec votre oncle, je cherchais l'antipode. C'est pour ça que je suis allé le trouver, en cachette, j'avais seize ans, c'était le procès de Burgos. Mon père se levait la nuit en sifflant comme une vipère que des gens pareils il fallait tous les tuer. Il était en chemise de nuit, comme un serpent, c'est ça qui me faisait le plus peur. J'y suis allé avec des copains mais moi c'était pour voir de près quelqu'un qui a tué. Je n'y allais pas comme eux à cause du procès de Burgos mais à cause du passé, comme si je n'avais pas été de ma génération mais de celle de mon père. J'y allais à cause de sa légende de *gudari*, à cheval sur les Pyrénées, à cause de la guerre qu'on apprenait en classe, de la période que vous évoquiez hier : la résistance acharnée devant

Irún, Renteria, Fort-Martial, la poignée d'hommes dont il était, qui a défendu Fort-Martial et qui a tenu soixante heures contre les Maures. Lorsqu'il n'y a plus eu de dynamite, ils ont fait rouler des rochers sur l'assaillant. Ça m'évoquait la *Légende des siècles*. J'y pense encore quand je passe à Itxassou, près d'un endroit qu'on appelle le Pas de Roland. C'est un rocher qu'il a soi-disant fendu en deux avec son épée parce qu'il barrait la route aux armées de Charlemagne.

– Dans cette affaire de Roncevaux, les Maures qui attaquèrent les armées de Charlemagne par-derrière étaient bien des Basques?

– Oui oui. Il y a Maures et Maures, si c'est ça que vous voulez dire. Ça vous déplaît? Vous ne trouvez pas bien qu'ils aient attaqué par-derrière?

– Pardon, fit Etxemendi, mais cet aspect-là, je m'en contrefous. Continuez.

– Après, Etxemendi s'est engagé dans la Résistance française. C'est ce qui m'apparaissait le plus fabuleux, le plus réel. Parce que dans ce coin, à Saint-Jean-Pied-de-Port, il y avait un fameux nid de pétainistes autour d'Ibarnegaray, le député, qui était le dieu de mon père parce qu'il avait autant de filles que d'influence. Soutenu par un brillant traducteur de l'*Iliade* et de l'*Odyssée*, c'est lui qui a convaincu le gouvernement de ne pas accueillir les réfugiés basques espagnols ici, pour que les rouges ne contaminent pas les blancs, et de les regrouper, comme on disait pudiquement, dans un camp, pas loin mais à la lisière, vous voyez ce que je veux dire, plutôt côté Béarn. Telle a été l'origine du camp de Gurs. Seulement après l'été 40 sont arrivés les juifs. Pendant ce temps votre oncle entrait dans la Résistance. Il s'est battu sous le commandement d'Ordoki dans la brigade qui a participé à la libération des poches de l'Atlantique. Après la victoire, ils ont défilé à Bordeaux, avec l'ikurriña. De Gaulle l'a embrassé.

– Mon oncle? demanda Etxemendi.

– Non, le drapeau d'Euskadi. Après, comme c'était la prison ad aeternam s'il rentrait, il est resté. Vos grands-parents l'ont aidé comme ils ont pu. A leur mort il a vendu un champ qu'ils lui avaient laissé pour acheter Baserri Eder où il avait déjà installé sa buvette. Pratiquement un échange. Et dans les années soixante c'est devenu un lieu de rendez-vous. De clandestins, bien sûr, précisa-t-il en haussant les épaules. Surtout après la première assemblée d'ETA qui s'est tenue ici, au Nord, dans un lieu secret, un peu avant la signature des accords d'Évian.

– Quel rapport?

– Ça jouait. Toutes les indépendances jouaient. Le Viêtnam, Cuba, Alger. C'est dans ces années-là que les Pyrénées ont commencé à devenir ce buvard qui boit le sang.

Le couteau en l'air, Etxemendi s'arrêta de manger. L'image lui avait coupé l'appétit. Sur le vert acide des prairies il vit le rouge du sang versé. Cela composait aussi l'ikurriña. Pourquoi Aramburu oscillait-il sans cesse entre l'admiration et la répulsion? Quand on est contemporain des faits, il n'y a plus de légende, pas vrai? reprenait ce dernier qui continuait à manger, à combler, combler on ne sait quoi. Il y a ceux qui agissent et ceux qui n'agissent pas. Je suis de ces derniers mais ce n'est pas ma faute.

– Il n'y a pas de faute, répliqua Etxemendi vivement. Il y a toujours deux camps. Dans ma famille c'est pareil. Il y a ceux qui sont forts physiquement et ceux qui sont faibles. Mon frère est atteint de la même maladie osseuse dont mon père est mort et moi j'ai la force de l'oncle. Mais l'esprit de l'oncle est dans mon frère et celui de mon père en moi, qui finalement suis comme vous, qui n'agis pas, sauf sur le paysage. Dans mon pays les montagnes ne sont pas endormies. Elles ne boivent pas le sang, elles crachent le feu.

L'image dégoûta le notaire qui reprit une part de gâteau et, de plus belle, la légende de l'oncle. Le neveu, pour suivre, abandonna à regret quelque chose qu'il venait de comprendre, en l'énonçant, sur la réalité de sa famille.

Pendant près d'un mois Belle Ferme et sa buvette avaient été fermées. L'oncle soi-disant parti en « voyage de tourisme ». Or il se trouva quelqu'un pour certifier l'avoir vu en Navarre, du côté d'Estella, attaché par des menottes à un type sur le bord de la route, en train de faire, tenez-vous bien, de l'auto-stop! Personne n'y avait cru jusqu'au soir où lui-même avait raconté l'histoire en riant. Ils avaient été arrêtés, lui et un copain, à bord d'un véhicule volé (ce n'est pas bien ça, hein? recommença le conteur). Mais comme les gardes civils étaient à l'affût d'un autre gibier, ils se contentèrent de leur passer les menottes sur place, de les attacher à un arbre, et puis repartirent sûrs de les retrouver au retour. C'était sans compter avec la force herculéenne de l'oncle. Au retour, plus personne! Quasiment tout seul, car l'autre était un petit malingre, Etxemendi l'oncle avait fait plier l'arbre comme une baguette d'osier. Puis, une fois dégagés, les deux s'étaient tranquillement mis à faire de l'auto-stop sur le bord de la route.

– Et vous y croyez à cette histoire?

– Non seulement j'y crois, répliqua Aramburu, mais si j'étais poète, je chanterais cet exploit dans un concours de bertsolaris!

– Qu'attendiez-vous de lui, au juste?

Le gros jeune homme se troubla affreusement. C'était la fin du repas, chez Garat, un petit restaurant d'Iholdy. La fille qui les servait avait disparu depuis un bon moment. Etxemendi, le neveu, se leva pour aller chercher de l'eau et l'addition.

Ils traversèrent en silence la place, le fronton, firent lentement le tour de l'église dans la paix sourde qui succède à la pluie. J'étais malade, confessa enfin Aramburu, et je le suis toujours. Nerveusement malade. J'avais peur de mon père. Je cherchais peut-être à me soigner en allant trouver le seul qui aurait pu lui faire peur ou lui tenir tête. Et puis... allons-y puisque aujourd'hui le monde est brutal : j'attendais, je crois, de votre oncle, qu'il pointe une de ces belles armes qu'il collectionnait contre la tempe de mon père et lui dise : Aramburu, ou tu laisses faire à ton fils ce qu'il veut et il arrête ses études de droit, ou je tire.

Le confident s'arrêta estomaqué. L'autre retint au bord des lèvres son habituelle formule d'enfant, son « c'est pas bien ça » et le regard par en dessous qui l'accompagnait se transforma en écarquillement de joie divine.

Le testament déposé chez l'ennemi – qui ne devait pas tant l'être que ça – était ambigu. L'oncle laissait en gros deux biens : la ferme Baserri Eder d'une part, dont il précisait que le mobilier suivant – vaisselier à quatre portes, banc, coffre de bois se trouvant à la cuisine, lit et table de chêne se trouvant dans la chambre – appartenait de droit à ses neveux puisqu'il provenait, par les grands-parents, de leur mère. Une propriété rurale d'autre part, dite Sorhabieta, sise à Armendaritz, se composant pour neuf hectares de prairie et pour trois hectares d'une lande en montagne. Il partageait ces biens en deux. Il avait même écrit qu' « il me paraît justice de partager en deux ». Entre Agustín et Julián Etxemendi ses neveux, d'une part, et Antxon Arrieta d'autre part. Il avait précisé « que je considère comme mon fils ».

Pour expliquer qui était cet Arrieta, il fallait de nouveau remonter à la guerre d'Espagne mais, cette fois, elle était pratiquement finie. Répondant à l'appel de deux écrivains catholiques, Mauriac et Maritain, en faveur de l'adoption des enfants des républicains (appel qu'Ibarnegaray avait refusé de signer), quelques familles basques s'étaient directement rendues au camp de Gurs. Là, dans l'îlot n° 3, le père d'Antxon Arrieta venait de mourir. Il a d'ailleurs sa stèle au cimetière. La mère, elle, avait été tuée à Guernica, le lundi du bombardement. L'orphelin s'était retrouvé dans une famille d'Irissarry, puis l'oncle, à la Libération, l'avait pris avec lui. Une fois majeur il était retourné de l'autre côté, où il avait encore de la famille, pour gagner sa vie. Mais il revenait régulièrement. C'est par lui, pensait Aramburu, que l'oncle avait établi les premiers contacts avec Ceux du Sud. Arrieta au début franchissait la frontière normalement, à Béhobie. Quand les choses commencèrent à se corser, il arrivait plutôt par la forêt d'Iraty, et pas toujours en bon état.

– Comment dites-vous qu'il s'appelle?

– Arrieta. Antxon Arrieta.

– Ça me rappelle quelque chose, dit Etxemendi. Quand j'étais petit j'ai eu un camarade qui portait ce prénom. Je me souviens même que lorsque ma grand-mère partait travailler l'été sur la côte, chez une dame, elle nous emmenait Antxon et moi.

– C'est peut-être lui, dit Aramburu, en tout cas les dates concordent. Il aurait votre âge. Bref. La condition suspensive est la suivante : si les neveux ou petits-neveux décident de vendre Baserri Eder, ils n'en ont pas le droit, et la ferme revient de fait à Antxon. Ils seront dédommagés par la vente de la prairie – la lande, elle, ne vaut presque rien. S'ils s'installent, le profit de la vente de Sorhabieta revient à Antxon. Oui, c'est compliqué, concéda-t-il en voyant la bouche de son client se rétracter. Ce n'est pas tout. Dans un post-scriptum postdaté il fait allusion à deux paquets vous appartenant, à vous et à votre frère, qui se trouvent dans un coffre, à la BBV, agence principale, Saint-Sébastien, coffre joint avec cet Antxon qui en a la clef.

Etxemendi au fur et à mesure devenait plus soucieux. Pour mettre de l'ordre, y voir clair, il n'y avait qu'une solution : rencontrer Antxon. Il fallait absolument rencontrer Antxon.

Facile à dire, soupira le notaire. Je suis sans adresse. Je n'ai pas même su où lui notifier l'acte. Il a complètement disparu. On ne l'a pas revu par ici depuis des années. Et quand je dis disparu, je dis peut-être mort.

9

Sous le choc d'avoir retrouvé la villa de Ramone en l'état, vide et fermée, Etxemendi téléphona à son frère à Mexico. Au fur et à mesure que l'appel devenait le plus long coup de téléphone jamais passé entre deux frères que sépare l'Atlantique, il sentit se dénouer dans sa gorge et dans son cœur ce qu'une femme y avait noué en disparaissant. L'intérêt manifeste d'Agustín pour tout ce qu'il racontait fit revenir un espoir flou, immense.

Agustín donnait une adresse et deux conseils. Une adresse à Mondragón, Guipuzcoa, confiée en son temps par l'oncle – avec lequel il n'avait jamais cessé de correspondre – et pariait que là on saurait où joindre Antxon. Antxon n'était certainement pas mort car dès qu'il y a mort de militant il y a enterrement et qui dit enterrement dit manifestation. Le pays accourt vers le village du héros pour l'accompagner au cimetière, des milliers de gens, de partout, avec leurs voix et leur drapeau. Le berceau est la tombe, disaient les classiques vieux chrétiens, ici la tombe est le berceau. De l'indépendance s'entend. Les autorités civiles et militaires craignent ces funérailles autant que des attentats. On les a vus détourner le corbillard, voler le cadavre. Pour juguler la passion, éteindre la flambée, ils veulent empêcher le mort d'arriver à destination comme s'il était pire qu'un vivant.

Non, s'il était mort, ça se saurait, assurait Agustín. Par contre il était peut-être en prison, à Herrera de la Mancha, à Santa María, à la Santé, pourquoi pas? Déporté à Saint-Domingue, ou au Cap-Vert, ou au Togo. Libre peut-être, en Algérie, là même où cet accident stupide avait coûté la vie au grand Txomin. Qui est-ce encore que celui-là?

– Écoute, hermano – et la voix d'Agustín recouvrait la joie autoritaire des années valides –, je ne vais pas te faire à dix mille kilomètres un cours sur les vingt dernières années de l'histoire d'un pays dont tu n'as jusqu'à présent jamais voulu savoir un traître mot! Débrouille-toi. Apprends seulement à te méfier de ceux qui te diront que Txomin c'est le Che. Maintenant, pour en revenir à nos moutons, Antxon est peut-être tout simplement là où tu es, sauf qu'il est clandestin.

Pour l'ouverture du coffre il conseillait d'aller aux renseignements sur place. Le sous-directeur de la banque, señor Berroeta, vieil ami, avait peut-être reçu des instructions de vive voix, complétant ou contredisant celles du testament. Pour l'inconnue enfin que Julen s'obstinait à désigner par « esta mujer » (préférant de loin la nuance péjorative de l'espagnol à l'explication du maudit e muet français) il était catégorique : écrire une lettre et la laisser dans la boîte. Tôt ou tard « cette femme » reviendrait. Surtout timbrer la lettre au cas où quelqu'un, ayant la clef de la boîte, serait chargé de faire suivre.

Toute la nuit le cadet nagea vers l'aîné en tenant hors de l'eau, au prix d'efforts incroyables car les vagues attaquaient ferme, une enveloppe ainsi libellée :

RAMONE MONDRAGÓN

Ça rimait même avec Antxon ! Au réveil, plus fatigué qu'un saint Georges après le combat contre le dragon, il prit son petit déjeuner en compagnie d'un rayon de soleil, à la terrasse des Colonnes. Il avait posé en évidence un bloc de papier blanc à côté de sa tasse à café, mais plutôt que de commencer à écrire il se mit à lire la presse. Pour ne pas écrire sa lettre. Sauf qu'il ne parvenait pas non plus à croire ce qu'il lisait, mortel symptôme ! Il en était resté aux vieux clichés qui courent encore les Amériques : France pays des libertés, des droits de l'homme, terre d'asile, etc. Alors le contentement des journalistes et du ministre de l'Intérieur le choquait. Formidable opération antiterroriste, déclaraient-ils, gigantesque coup de filet ! Qui croire ? La louve au bébé dont il avait entendu le hurlement faisait la une en criminelle. Rien moins que deux mille hommes étaient descendus la veille de la capitale et d'Aquitaine sur Bayonne, Biarritz, Arbonne, Ciboure, Hendaye. Ceux du RAID évoquaient bien un raid mais ceux du GIGN ? Les commentateurs de *Sud-Ouest* et du *Journal du dimanche* informèrent qu'il s'agissait des unités d'élite de la police nationale et de la gendarmerie. On avait recruté dans tous les services, y compris la brigade des mineurs et la brigade financière. Vu le dispositif, ce n'étaient pas des palombes qu'ils allaient cueillir. De deux choses l'une : ou Aramburu le jeune délirait en parlant de rafle, ou la nation française se fichait désormais de la cause des peuples !

Sa cause à lui tenait dans sa main droite. Lui eût-on annoncé qu'au même moment, en Algérie, la Paix tremblante occupait le bout d'une table d'hommes où représentants de l'État espagnol et d'ETA discutaient de son sort, qu'il eût donné à la paix le visage de Ramone. Mais la lettre dont dépendait sa propre paix lui semblait quasiment impossible à écrire. Allait-il s'exprimer en espagnol, en français, en étranger, en amant? Ces questions recouvraient, en fait, un vide : comment dire quoi? Son esprit ne lui représentait ni elle ni lui ni surtout elle et lui. Il gardait du corps pressenti, de la nuit blanche et pas blanche passée ensemble et pas ensemble, le goût qu'il n'avait pas goûté, l'haleine du baiser qu'il n'avait pas reçu, pas donné. Que la lettre à Ramone fût une bouteille à la mer qui arriverait Dieu sait quand et peut-être même lorsqu'il serait retourné au Mexique, qu'il aurait remis un océan entre eux, lui ôtait le courage. Si je commets une faute de plus dans cette affaire, se disait-il, c'est fini. Et sous la « faute » le désir et la grammaire se mélangeaient. L'immobilité lui devint insupportable. En roulant il y verrait plus clair. Et puisqu'il avait décidé de rencontrer dès demain le señor Berroeta autant se trouver sur place, à Saint-Sébastien.

Comme il n'était pas pressé d'arriver, il laissa sur sa gauche l'autoroute et prit une bonne vieille route zigzagante. Ramone, chère Ramone, Ramone querida, muy querida Ramone. Une plage, à droite, tourna son dos blond au macadam et s'élança vers les vagues. Là là là, il freina brusquement, oui c'est là qu'Antxon et lui avaient planté le petit parasol. « Antxon! Julen! criait la dame, venez m'aider, le parasol ne veut pas s'ouvrir! » La phrase revint aussi intacte que lorsque Ramone avait prononcé pour la première fois le nom de Bidart. A la sortie de Bidart, en haut d'une côte, une junte de montagnes l'accueillit. Une chaîne de têtes couronnées dont on ne voyait pas sur quoi elle reposait car si le ciel dessinait les crêtes en rose et descendait les pentes en gris-bleu, en bas il n'y avait plus que des brumes. Ramone quelle douceur! Quand j'étais petit je chantais un fandango où je rentrais de guerre et revoyais mon pays. Salut Rhune aux flancs bleus! Airetun txikitun, airetun laire, airetun txikitun, airetun laire...

Il arriva dans une ville qui s'appelait Donibane-Lohizun. Il commençait à se croire égaré quand un panneau lui indiqua qu'il se trouvait tout bonnement à Saint-Jean-de-Luz. Des flèches signalaient la route de l'Espagne. Il passa un pont, longea un port où toutes les couleurs étaient amarrées sur des bateaux de pêche, avec une prédilection pour le bleu lessive. Au fond, sur le quai, l'air rose avait rejoint une vieille demeure en brique flanquée de tourelles carrées. Il poursuivit sa route en sifflant. Le ciel se couvrit, les couleurs s'estompèrent. Bloqué depuis quelques minutes dans une longue file de voitures – la frontière sans doute –, Etxemendi sentit que quelque chose d'anormal se passait. Les gens quittaient leurs véhicules et se haussaient sur la pointe des pieds comme lorsqu'il y a un accident. Il sortit à son tour. On était bien à Béhobie. Sur l'autre rive de la Bidassoa se dressaient les premiers immeubles tristes d'Irùn.

Sa taille lui permit d'embrasser d'un coup d'œil la situation. Entre les guérites et les longs bâtiments de la douane l'espace français comme l'espagnol était investi de cars et de fourgonnettes d'où sortaient des troupeaux sans bagages. Bordel de merde! Fils de pute qui nous font chier une fois de plus! Les automobilistes s'indignaient dans leur langage châtié mais contre qui? Il entendait claquer des paf! paf! comme des détonations. C'est la Police de l'Air et des Frontières, monsieur. Quand on n'aura plus de frontières et que ce sera l'Europe il n'y aura plus de PAF, plus de contrôle, la vermine pourra se répandre à son aise. A la question qui sont-ils? il fut répondu : des rien du tout. Des gens qui bataillent au lieu de travailler, qui commettent leurs crimes en Espagne et, après, viennent se réfugier chez nous. Même les socialistes n'en veulent plus. Alors on les raccompagne chez eux pour qu'ils purgent leurs crimes et passent gentiment la fin de leur vie derrière des barreaux. Alors seulement Etxemendi fit le lien entre ce qui s'était passé hier et ce qui se passait aujourd'hui.

Appuyé contre le parapet du pont, près de sa bicyclette, un homme écoutait sans broncher ces propos impitoyables sauf qu'il devenait rouge, très rouge. Il avait sorti un mouchoir de sa poche et, soulevant le bord de son béret aussi délicatement que s'il soulevait une couronne d'épines, s'épongeait le front. Quand la file des voitures commença à s'ébranler, et que ce fut au tour d'Etxemendi de passer à hauteur du convoi, il chercha malgré lui parmi ces garçons épuisés, ces hommes de son âge, menottes aux mains, impassibles, l'œil au beurre noir ou fixe, sans parole, sans bagage, sans recours, sans rien, qui aurait pu être Antxon. Le douanier confrontait longuement la photographie du passeport et le visage. Sainte Marie mère de Dieu traversa l'esprit du titulaire. Il avait peur. Et quand le signe eut été fait qui signifie « Passe », non le « Passe tu es pur » du jugement mais celui de la légalité humaine, Etxemendi Julián, 1 m 92, yeux bleus, signes particuliers : néant, démarra au quart de tour. A la première flèche indiquant Irún il obliqua. Son soulagement fut tel d'avoir disparu au regard policier qu'il se sentit coupable.

De l'autre côté de la Bidassoa se tient la ville frontalière d'Irún. Au bout d'un quart d'heure de vive allure Etxemendi n'était toujours pas à Irún. Il s'enfonçait dans un paysage de montagnes. Les noms ne correspondaient pas à ceux de la carte. Il prit conscience qu'il tournait le dos à l'océan et pourtant de temps en temps il retrouvait l'indication Iruñea accompagnée d'un chiffre exorbitant de kilomètres. Un cauchemar. Au village suivant il s'arrêta. Il apprit qu'il n'était plus dans la province de Gipuzkoa mais dans celle de Nafarroa, Navarre. En s'éloignant d'Irún il se rapprochait d'Iruñea, qui est le nom basque de Pampelune. Excédé il rebroussa chemin. Quand il repassa la frontière la circulation était devenue fluide comme s'il ne s'était rien passé.

10

Biarritz, el domingo 4 de octubre

Ramone,

He pasado estos días rondando tu casa como un alma en pena. Estaba la casa como dormida y siempre esperaba que se despertara, que salieras tú, que me abrieras otra vez la puerta. Desde que me mandaste tu misteriosa frase con el reloj me desvivo. ¡Ojala me hubiera olvidado a mí mismo en tu casa y no mi reloj! Pasé una noche entera tratando de entender lo que querías decir con eso de « l'heure » y « l'heur(e) ». Afortunadamente un viejo señor francés, muy cortés, me ayudó. Ya se me fué la confianza en la horabuena y en mí mismo. Solo queda la esperanza. La verdad es que esta visita que te hice a medianoche sin conocerte queda de lo más loco pero es uno de los recuerdos más hermoso de mi vida... a pesar de haberme portado muy muy mal. ¡Qué habrás pensado de mí! Quiero que sepas que no soy así. La próxima vez ¡ójala fuera hoy mismo! verás que sé comportarme debidamente. Como un señor. También quiero decirte que viajando por tu país o el mío, ya no sé, ví cosas muy duras, cosas tremendas y empecé a entender... No puedes imaginar lo que daría por contártelo de viva voz. O no contarte nada, Ramone, mirarte. No sé nada de ti, ni siquiera tu apellido, por dónde vives, adónde vas. Echo esta carta en tu buzón como una botella a la mar. Dice mi hermano desde Méjico que vas a contestar. Quiero creerlo pero... ¿cuando? Me puedo quedar en Europa hacia primeros de noviembre. Pensaba ir a Italia pero todo lo occurido aquí me hizo cambiar de idea. Además tengo la sensación que por aquí mejor que por cualquier otra parte en el mundo es dónde tengo más suerte de volver a verte. Estoy soñando con encontrarte de veras. Ten piedad del que no se atreve a decir más,

Julen

Tel fut l'état final de la lettre à Ramone qu'il recopia sur le papier à en-tête de l'hôtel où elle avait su le trouver. Sur une autre feuille, et pas en post-scriptum comme il y avait d'abord songé, il inscrivit trois adresses. A Paris, celle de son ex-femme qui ne portait plus son nom puisqu'elle était remariée. C'est là qu'il allait séjourner. Celle de l'hôtel de Londres y de Inglaterra à Saint-Sébastien que le portier de nuit lui avait conseillé et qui serait son quartier général dans quelques jours. Celle enfin de son frère, sierra Jiutepec, à Mexico, plutôt que la sienne propre vu que son frère, par la force des choses, n'en bougeait jamais. Il hésita avant d'écrire les numéros de téléphone correspondants mais n'y résista pas. A l'une de ces trois adresses : dans une semaine, dans un mois... ou jamais. Tout était si improbable et si aléatoire que les chiffres ne pouvaient guère nuire.

Il relut une dernière fois sa lettre au réveil. Assez fier

quand il eut mouillé et collé les bords de l'enveloppe qui portait le prénom seul, un timbre et la mention URGENT, il fit sur elle avec le pouce le petit signe de croix du Dieu te garde! Ainsi faisait sa grand-mère sur son front d'enfant. Puis, sa lettre à la main, il prit pour la dernière fois, ne pouvait-il s'empêcher de craindre, le chemin de la villa. Mais comme la matinée était adorable et quasiment toute devant lui – son avion ne décollait qu'au début de l'après-midi – il glissa la lettre dans la poche arrière de son pantalon et se mit à marcher avec la nonchalance des grands héros de western ayant accompli leur mission, retrouvé le bétail volé, tué quelques méchants, et qui flânent soudain désœuvrés en regardant autour d'eux. Sauf qu'à la place du revolver il portait une lettre.

Quelque chose soudain dans l'air l'aiguillonna. La fraîcheur montée du sol, la chaleur tombée du ciel, ce mélange créait une vigueur à laquelle il ne put résister. Dans le beau matin vigoureux, sans s'en rendre compte Etxemendi changea de pas, de rythme. L'air imposait un rythme d'enjambées digne de ses longues jambes et le facteur de sa lettre se retrouva étonnamment vite sur les lieux. Seulement alors il comprit pourquoi. L'air, l'air seul encore une fois, avait tout fait : au bout de l'impasse la grille était ouverte.

Quelques secondes, une ou deux minutes plus tard, tout eût été perdu. Son cœur cognait comme celui d'un jeune homme car le gravier parlait, crissait sous les pas d'une forte petite femme au visage enjoué qui portait dans les bras un ballot de linge. Les draps mêmes dans lesquels il avait dormi. Madame, madame! Bonjour monsieur. Bonjour madame. Il n'avait jamais souhaité d'aussi bon cœur le bonjour à quelqu'un. Aucune dame n'avait été plus sienne. Ramone n'est pas là? Eh non, monsieur, elle est repartie il y a trois jours. Repartie? quelle malchance, moi qui avais un message si urgent à lui transmettre! Si c'est urgent, croyez-moi, il vaut mieux l'envoyer à Paris. Ici, elle ne revient pas avant la Toussaint...

Etxemendi se mordit les lèvres. Comment avouer qu'il n'avait ni le nom ni l'adresse sans éveiller la méfiance de cette vigoureuse petite fée qui livrait deux informations capitales : Paris et la Toussaint? Son merveilleux sourire, du tréfonds, lui monta au visage. Il était si en retard, chère madame, qu'il avait peur de rater son avion. Aurait-elle l'extrême gentillesse de compléter l'adresse et de lui poster cette lettre aujourd'hui même? Bien volontiers, monsieur, avec plaisir, répondit la plus bienvenue, la plus serviable, la plus gentille des créatures qu'il ait été donné à quiconque de rencontrer un beau lundi d'octobre. Il déposa délicatement la lettre sur le sommet du ballot de linge et s'enfuit en criant merci, merci, à bientôt, comme s'il espérait en courant rattraper l'avion qui partirait sans lui. Se retournant une dernière fois, au bout de l'impasse, pour agiter la main en signe d'au revoir il fut rejoint par le long « adieu » chantant du Sud-Ouest, sur deux notes, qui prolonge infiniment la seconde.

Jusqu'au phare il courut pour protéger son alibi. Sauvé!

Biarritz, dimanche 4 octobre

Ramone,

J'ai passé tous ces jours à rôder autour de ta maison comme une âme en peine. La maison était comme endormie et j'espérais toujours qu'elle se réveillerait, que tu en sortirais, que tu m'ouvrirais encore une fois la porte. Depuis que tu m'as envoyé ta mystérieuse phrase avec ma montre je ne vis plus. Ah si j'avais pu m'oublier moi-même dans ta maison au lieu de ma montre! J'ai passé une nuit entière à essayer de comprendre ce que tu voulais dire avec cette histoire d'heur(e). Par chance un vieux monsieur français, très courtois, m'a aidé. Je n'ai plus confiance en la bonne fortune ni en moi-même. Seule demeure l'espérance. Cette visite que je t'ai rendue à minuit sans te connaître est en vérité tout à fait folle mais c'est un des plus beaux souvenirs de ma vie... même si je me suis comporté très mal. Qu'auras-tu pensé de moi! Je veux que tu saches que je ne suis pas comme ça. La prochaine fois (je voudrais tellement que ce soit aujourd'hui même!) tu verras que je sais me comporter comme il faut. Comme un monsieur. Je veux aussi te dire qu'en parcourant ton pays ou le mien, je ne sais plus, j'ai vu des choses très dures, des choses terribles et j'ai commencé à comprendre... Tu ne peux pas imaginer ce que je donnerais pour t'en parler de vive voix. Ou ne pas te parler, Ramone, te regarder. Je ne sais rien de toi, pas même ton nom de famille, ni où tu vis ni où tu vas. Je jette cette lettre dans ta boîte comme une bouteille à la mer. Mon frère m'assure depuis Mexico que tu me répondras. Je veux bien le croire mais... quand? Je peux rester en Europe jusqu'aux premiers jours de novembre. Je pensais aller en Italie mais tout ce qui s'est passé ici m'a fait changer d'idée. De plus j'ai le sentiment que c'est par ici mieux que n'importe où dans le monde que j'ai le plus de chance de te revoir. Je rêve de te rencontrer pour de vrai. Aie pitié de celui qui n'ose en dire davantage,

Julen

11

Etxemendi n'était venu à Paris qu'une fois, avant son mariage. Comme à ceux du Nouveau Monde, Paris alors lui paraissait un rêve, le « rêve de Paris » qu'on enseigne en classe avec l'œuvre du poète Rubén Darío. La main dans la main de Line, boulevard Saint-Michel, il avait cherché le café où le dieu de Rubén, un poète maudit, se saoulait et il racontait la scène avec la même indignation qu'autrefois, en classe, son professeur. Rubén au café La Source, le cœur battant, qui s'approche de son grand homme, lui adresse le pieux murmure de son admiration, lui parle de sa gloire qui a franchi l'Océan, et Verlaine ivre mort lui répondant : La gloire, merde, merde !

Le mari de sa femme se mit à rire.

Le mari de sa femme était un homme merveilleux qui riait de tout et ne se moquait de rien. Il enseignait l'histoire et la géographie dans un lycée de banlieue et connaissait le dessous des êtres aussi bien que le dessus de la terre. Petit et rond comme le globe, à première vue aussi invisible qu'Etxemendi était visible, au bout d'un quart d'heure les femmes ne voyaient plus que lui car il s'adressait à elles comme à de grands luminaires sans lesquels le monde eût été plongé dans l'obscurité. C'est mon homme, pensa Etxemendi. Il porta la main à sa poche revolver, entendit crisser le brouillon de sa lettre, demanda si on avait du temps devant soi. L'autre ouvrit les bras. C'est rare un Français qui ne mesure pas son temps. Etxemendi s'y engouffra. Il rappela qu'ils s'étaient quittés jeudi dernier à Orly-Ouest, vers midi. Une aventure extraordinaire – il ne dit pas une aventure, il dit une chose – une chose extraordinaire avait commencé pour lui le même jour, un peu avant minuit. Puis il se reprit et dit qu'en vérité il ne s'était plus senti comme d'habitude dès son arrivée, avant même d'avoir posé le pied à terre, rien qu'en respirant l'air du pays et qu'après tout ce n'était pas si anormal puisqu'il y revenait pour la première fois depuis mettons plus de quarante ans. Son intention, Joseph savait bien, n'était pas du tout de s'arrêter à Biarritz mais de louer une voiture pour aller directement chez le notaire à Saint-Jean. Or coup du sort, hasard, destin, bonne ou mauvaise fortune, il n'y avait pas de voiture.

Pendant son récit, qui dura bien une heure, le jour eut le temps de tomber et Line de rentrer avec les commissions. Elle écoutait sans écouter ayant perdu le commencement. Joseph alluma les lampes et demanda à voir le brouillon. Si la lettre avait bien été postée aujourd'hui elle arriverait à Paris demain. Dans sa bouche qui versait au français les phrases espagnoles la lettre à Ramone ressemblait à un tango.

– Rôdant autour de ta maison comme une âme en peine... La visite qu'à minuit je t'ai rendue sans te connaître... Je ne sais rien de toi pas même ton nom... ni où tu vis ni où tu vas... Julián! Un homme de cinquante ans ne s'exprime pas ainsi, c'est une lettre de nouveau-né. Goûtera-t-elle cette simplicité?

Il demanda à voir sa lettre à elle. Etxemendi sortit la relique de son portefeuille. Joseph se fit les dents sur le tuyau de sa pipe comme sur un os de seiche et lorsque inquiet de son silence le grand eut demandé si c'était grave il répondit « très » avant d'éclater de rire.

– Vous êtes vraiment le jour et la nuit ensemble. Tu chantes et elle philosophe. Son écriture est pleine d'épines. Tu vois comme elle s'en va vers le haut? Ces femmes-là sont des bas-bleus, idéales, pleines d'idées idéales et de contradictions. Ah celles-là ne s'ouvrent pas facilement! Il faut les attraper par le haut. Quel dommage

– Quel dommage?

– que tu ne l'aies pas attrapée par le bas.

– Je ne sais pas à quoi vous faites allusion mais je suis sûre que ça s'arrangera, dit gentiment Line parce que le dîner était prêt. Je trouve ta lettre magnifique. C'est avec des mots pareils que tu as fait battre mon cœur. Je suis sûre qu'elle répondra par retour du courrier et on peut passer à table.

– Impossible, fit le second mari. Elle répondra peut-être sur-le-champ mais elle laissera reposer la lettre pour en supprimer les vapeurs et toute imperfection. Le premier jour elle biffera un mot, le deuxième une phrase entière, le troisième...

Il s'empara vivement d'un bloc de papier, griffonna quelque chose qu'il appela « l'idéal message ramonien » et le tendit à l'intéressé.

Paris, le .. octobre 19..

Julián,

Paris, le .. octobre 19..

Julián,

Ramone

Line réaffirma son désaccord en posant le plat de hors-d'œuvre sur la table et paria une bouteille de champagne qu'il n'en serait pas ainsi.

Mardi matin, la communication avec Saint-Sébastien qu'il eut du mal à obtenir mit Etxemendi devant un dilemme. Son banquier s'absentait du 10 au 19 octobre. Or, sans les indications noms et adresses qu'il espérait obtenir du señor Berroeta, tout début d'enquête sur Antxon devenait impossible et le projet qui avait pris corps redevenait poussière. Rencontrer Berroeta le 19 était trop tard : il avait une réunion de début de chantier à Oaxaca le lundi 9 novembre. Le rencontrer cette semaine trop tôt, s'il espérait recevoir une réponse de Ramone à Paris. L'annulation du voyage en Italie, en revanche, ne lui causa pas de problèmes bien qu'une femme, qui n'était plus jeune, à Sienne, ait fondu en larmes au téléphone en apprenant qu'il ne viendrait pas.

– Moi je dis de deux choses l'une, répétait Line qui s'était tout fait raconter depuis le début une fois Joseph parti au lycée. Ou elle répond par retour du courrier ou elle ne répond pas du tout.

Ce « pas du tout » vidait la poitrine d'Etxemendi. Il changeait d'avis chaque cinq minutes. Sous la douche il n'avait plus qu'une mission : celle que lui avait indirectement confiée l'oncle, retrouver Antxon. Mais en s'habillant, se souvenant qu'il s'était honteusement rhabillé devant Ramone, à l'aube, sans un mot, comme un voleur qui n'a rien volé, il n'avait plus qu'un but : effacer à jamais cette scène odieuse. Sa femme d'autrefois lui proposa d'aller se promener pendant qu'elle achevait de taper une traduction. Elle n'avait pas changé, elle était en retard, elle remettait constamment en retard ses traductions. Ils se retrouveraient vers seize heures au jardin du Luxembourg, à la fontaine, comme autrefois.

Traversant à pied quasiment de bout en bout la capitale de la France, Etxemendi l'admirait d'être si belle et la honnissait d'être si vaste. Il la sentait plus qu'il ne la voyait car il regardait plutôt les femmes seules arrêtées dans leur voiture aux feux rouges, les visages aux vitres dans les autobus, les petites silhouettes qui traversaient la rue ou passaient le pont en sens inverse. Bousculé par un robin devant le Palais de justice, il imagina Ramone en robe d'avocat puis, au Quartier latin, en étudiante. Non, vivants, remisées dans de grands tombereaux – que le désordre du monde lui remonta d'un coup au cœur. Ville fausse, pensa-t-il, ville riche, ville classée première entre toutes, rêve de Paris à toutes les époques avec tes jardins classés comme des époques, que sais-tu désormais du monde, toi que tes innombrables poètes et tes trois principes ont régi ? Ton fleuve qui a charrié le sang des idées est devenu gris comme la boue. Antxon, Antxon, se prit-il à murmurer, frère humain, où donc es-tu bordel de merde ? Es-tu en train de rêver aux trois principes en prison ? Ne me dis pas que ta douleur augmente trente minutes par seconde comme la mienne, et que tu es en cage comme ces feuilles mortes et que tu ne serais pas mieux dans nos montagnes et cette belle ferme qui est à toi, bon Dieu, car elle est à toi Baserri Eder, tu entends, à toi !

Le plus poli des jardins français avait eu raison de son hésitation. Sa décision était prise. Il n'attendrait pas davantage. Il irait chercher Antxon, plus fort qu'une femme parce qu'il représentait une idée, qui de surcroît était l'idée de cette femme.

12

A l'heure où Etxemendi fit part à Line de sa décision, la lettre de Biarritz tomba dans la boîte aux lettres de Ramone. Mercredi matin, à l'heure où il prit rendez-vous avec la banque pour vendredi, elle lui écrivait. Quand il sortit prendre son billet et réserver pour demain un T2 sur le train de nuit, elle postait, avant midi. Et le même jour, vers sept heures du soir, alors qu'il revenait avec Joseph de Beaubourg – officiellement Centre Georges-Pompidou – qu'il avait préféré au Louvre comme tous les gens que l'art intimide, il y avait sur le visage de Line un très étrange sourire.

– Tiens, fit Joseph, regarde Line et tu verras à quoi ressemble le sourire de la Joconde que tu n'as pas voulu voir!

La lettre était entre les mains de Line.

Dans un mouvement d'adoration Etxemendi joignit les mains. Il prononça même une parole mémorable qu'on se gardera bien d'oublier, il dit : oh la poste française! L'instant d'après, comme un gémissement, la lettre lui échappait. La tête entre les mains, il s'asseyait sur le bord du canapé, si excessivement plié ou replié sur lui-même qu'il n'y avait plus trace de sa haute taille. Joseph ramassa la lettre et Line lut par-dessus son épaule.

Paris, mercredi matin

Votre lettre me touche, Julen Etxemendi, je ne m'attendais pas à être ainsi rejointe. Il ne m'est pas possible de vous rencontrer ici, maintenant, mais devant aller à Saint-Sébastien à la fin du mois je vous propose de nous y retrouver le 30 octobre.

Si vous ne changez pas d'idée, c'est donc là-bas que nous nous retrouverons.

Vôtre,
Ramone Alphand

– C'est merveilleux, dit Line.

– Vraiment?

Comme un qui se croyait perdu et se voit retrouvé Julen sortit son visage des mains.

– Tu nous as fait peur.

– J'ai eu si peur moi-même. Comment tiendrai-je jusque-là?

– Ah mortels ingrats! s'écria Joseph. L'inespéré vous arrive et vous êtes incapables d'une parole de reconnaissance. A genoux!

Le mortel immédiatement se leva. Plus droit qu'un pin il regarda plus haut que lui et remercia.

Pendant le dîner qu'il offrit au champagne, au Wepler, il écouta avec passion Joseph tirer de cette lettre tout ce qui est humainement possible d'y trouver. Le sens littéral du verbe « toucher », le désir que supposait le « je ne m'attendais pas », le commentaire à l'infini du « ici, maintenant ». Elle est trop occupée, elle a trop de travail, elle est mariée, il est jaloux, elle se sent coupable, elle se méfie, tu lui parais léger, un peu tout fou, elle se demande si tu persévéreras, elle a déjà un mari *et* un amant, elle ne se sent pas libre ici, maintenant, elle est un peu déprimée, elle n'y croit pas mais elle voudrait, de toute façon là-bas c'est mieux, qui n'est pas tellement « là-bas » pour elle, etc. Finalement, conclut Joseph épuisé, au café, je te signale que c'est toi qui as suggéré ce rendez-vous « là-bas ». Souviens-toi de la fin de ta lettre qui dit approximativement : j'ai la sensation, ou le sentiment, que c'est par ici, ou dans ce pays, que j'ai mieux que n'importe où au monde la chance de vous, de te revoir ou retrouver... Au fond, sous un dehors à peine réticent et dilatoire elle dit oui. Elle est très forte. Et si tu veux mon avis, sois sur tes gardes, fais attention, joue serré ou peut-être ne joue pas du tout. Elle est plus forte que toi. Il s'agit dorénavant de te conduire comme un homme.

Or c'est très exactement ce qu'Etxemendi avait envie de faire.

AU SUD
HEGOALDE

1

La Palombe Bleue démarra à vingt-trois heures précises. Etxemendi agita la main dans la nuit. Sur le quai n° 16 de la gare d'Austerlitz du bout des doigts de Line s'envola quelque chose que Joseph rattrapa aussitôt de ses lèvres. Ce n'était pas le long baiser de deux qui se séparent puisque le train était parti, ni d'amoureux qui se retrouvent à l'arrivée mais le même. Seul un très long baiser pouvait dire en sa langue le soulagement qu'ils éprouvaient. Parti, il était parti, le géant premier époux, avec son nez basque, ses yeux clairs, son sourire de légende. Et le péril de l'éternel retour de flamme avec lui.

Lui, debout dans le couloir, encore penché à la fenêtre, goûtait l'air d'une nuit autrement amoureuse. Il se sentait jeune, il n'avait pas sommeil, sa conscience avait pactisé avec son trouble. L'air qui prenait de la vitesse durcissait son visage attendri. Il filait droit vers Antxon et Ramone qui rimaient sur les rails comme dans son rêve car il ne s'éloignait pas d'elle en se rapprochant de lui, il roulait vers eux ensemble, vers la même inconnue. Et si Antxon était bien le garçon de Bidart – quand il referma la fenêtre il en était quasiment sûr –, alors lui-même roulait vers des commencements trop farouchement oubliés pour ne pas être les siens.

La couleur de la tenue réglementaire du chef de wagon évoquait le café au lait du matin mais il ne venait pas, en claudiquant, prendre la commande du petit déjeuner ni de l'heure du réveil : – C'est bien à vous le passeport mexicain ? Qu'avez-vous à déclarer ? Rien ? Rien à déclarer ? Allons, un petit effort ! Drogue, alcool, port d'armes ?

Ahuri par le ton et la teneur du propos le voyageur resta coi. Un autre contrôleur appelé à la rescousse développa que le passeport était en règle mais qu'ils avaient des instructions. Considéré le fait qu'on allait passer une frontière, ils étaient tenus d'inspecter les bagages. Or le wagon était désert. Les autres voyageurs retirés ou couchés. L'étranger pensa qu'après tout il était étranger, qu'il ne connaissait pas l'usage en France. Sans un mot il ouvrit la porte de son compartiment puis ses deux grands sacs. Son naturel freina l'ardeur de la fouille. Le contenu parut ce qu'il était, normal. Le second contrôleur souleva légèrement sa casquette. Excusez du dérangement, dit-il en s'éloignant, suivi du boiteux agressif. Ce dernier dut recevoir un savon au bout du couloir car il ne tarda pas à revenir sur un autre ton. Que son wagon étant presque vide il allait transformer le T2 en single. Vu la taille du passager ce ne serait pas du luxe et ça ne coûterait rien. Le temps de porter les eaux du 15 et du 29, s'il voulait bien attendre, il revenait de suite.

Etxemendi, qui avait obéi comme un agneau, en ressentit un malaise qu'il reconnut sans parvenir à l'identifier jusqu'à ce que le fait invoqué – qu'on allait passer une frontière – vînt percuter ce qu'il avait vécu à la frontière franco-espagnole. C'est le nom basque qui avait déclenché l'alarme, son nom. « Port d'armes » ! Il aurait dû leur casser la gueule plutôt qu'ouvrir ses bagages. Et il s'était exécuté sans protester! De même qu'à Irún, après que le douanier eut signifié qu'il pouvait passer, il s'était senti en faute d'être soulagé, de même cette nuit il se sentit coupable d'être innocent et de ne pas avoir réagi. L'élucidation du malaise engendra du dégoût. Tout ce qu'il avait soigneusement tenu à l'écart de ses préoccupations remonta à la surface en désordre. L'illégalité. La violence. L'employé de la Société Nationale des Chemins de Fer Français n'accomplissait finalement peut-être que son devoir en assurant la sécurité de son wagon, la vie de ses passagers, contre l'Etxemendi qui transportait des sacs bourrés d'explosifs et qui existait sûrement de par le monde. Il fallait en avoir le cœur net.

A la question franche du voyageur il fut répondu par une franche hésitation. Suivie d'un soupir, suivi d'une cigarette qui aurait pu durer toute la nuit. Le petit homme ralluma son histoire à une gitane maïs qui s'éteignait sans cesse et qu'il finit par écraser contre un autre mégot, avec rage, comme font certains fous avec la chair humaine. De parents pauvres, à flanc de montagne, fils de paysans pauvres, il avait été envoyé avec son frère, au collège du chef-lieu de canton. Son frère était devenu instituteur, lui gendarme. Et Basques autant que vous, souligna-t-il, depuis l'âge de fer. Mais il avait d'autres ambitions. Devenu gardien de la paix, il avait préparé l'examen d'entrée en faculté pour les non-bacheliers. Reçu du premier coup il s'était mis à préparer la première année de droit. Il en fallait deux pour entrer dans la PJ. Telle était son ambition : devenir inspecteur. Le drame survint un lundi férié de Pentecôte, alors qu'il était de garde au poste de gendarmerie de Saint-Palais, à quelques kilomètres de son village. La période des examens approchant, il révisait son Code Civil, le Livre premier dit Des personnes, lorsqu'un coup de téléphone anonyme annonça que d'ici une heure il y aurait du grabuge. Où?

– Là où tu te tiens, ordure. Voilà très exactement ce qu'on m'a répondu. J'ai encore la phrase dans l'oreille. De l'autre côté des Pyrénées, ils sont tout aussi aimables mais beaucoup plus forts sur la publicité. Juste un peu avant le crime, vous me suivez?, ils contactent les radios locales et les agences de presse. Dix minutes avant la bombe qui a tué deux ouvriers et fait quatorze blessés à la centrale nucléaire de Lemoniz (sans compter l'ingénieur qu'ils avaient bousillé quelques jours avant) ils ont téléphoné à Radio Bilbao pour annoncer que la bombe éclaterait dans le bâtiment tant, près du réacteur tant. Même schéma pour le triple attentat de Madrid : appel téléphonique à une agence, qui transmet au commissariat de police de Saint-Sébastien, qui transmet à Madrid. Le tout à peine une heure avant, vous voyez le travail pour évacuer une gare ou un grand magasin en soixante minutes. Après, quand ils ont fait trop de morts, ils présentent des excuses. Comme en juin dernier, à Barcelone, après l'attentat d'Hipercor. Oui, je vous assure, ils ont présenté leurs excuses au peuple catalan. Rien que ça. On croit rêver non? Moi je n'y ai pas cru au coup de fil. Qui, à Saint-Palais, un lundi de Pentecôte, avec le soleil qu'il y avait et la partie de pelote à main nue, pouvait avoir envie de se fourrer dans un coup qui va chercher dans les *x* années de prison ferme? Personne. Je me suis dit : personne ici mes lascars, ivrogne ou apprenti terroriste, ne flanquera la trouille à un représentant de la loi. Moi je poursuis tranquillement mes études qui, vous ne perdez rien pour attendre, me permettront d'appliquer les mandats d'arrêt contre vous et de vous chasser, de vous prendre au filet et de vous mettre à l'ombre du premier au dernier. J'ai remis le nez dans la privation des droits civils par perte de la qualité de Français... jusqu'à l'explosion. J'ai eu beaucoup de chance, conclut-il sarcastiquement en montrant sa patte folle. Mais ma carrière... ter-mi-née! Car ils n'ont pas manqué de faire savoir, par leurs journaux de merde, qu'une heure avant j'avais été prévenu et que je n'avais prévenu personne. J'avais donc commis une faute de service grave, irréparable. On m'a quand même fait entrer, par recommandation, à la SNCF. Et voilà pourquoi en voyant votre nom et votre gabarit je me suis méfié. Heureusement demain je change de ligne, je vais sur Toulouse. Cigarette?

Etxemendi ayant accepté machinalement refusa la flamme du briquet. Que tout cela était compliqué! Que non, reprit le boiteux croyant qu'il parlait de son histoire. Il y en a plein comme ça. On croit toujours que c'est sur les autres que ça tombe et puis, un jour, on y passe et la vie est foutue. Qu'allez-vous faire là-bas si je ne suis pas indiscret?

Mais Etxemendi n'avait pas plus envie de répondre que de poser des questions. Ni sur la façon dont naissait l'envie d'entrer dans la police et dans un camp plutôt que l'autre, dans une même famille, un même village, un même pays, ni sur ceux qui avaient posé la bombe, ni sur l'arrestation des coupables, rien. Le petit regarda le grand. Ce monde était sans pitié. Et il s'éloigna misérablement, traînant la patte, vers sa nuit blanche, tandis que le grand tombait endormi comme une masse.

Au milieu d'une bande de pigeons ramiers, maladroit à cause de son grand corps, il survola des forêts de pins puis de chênes et de châtaigniers. Il avait, pour voler, adopté la position du nageur, brassant l'air comme l'eau.

Soudain, dans le point du jour qui se levait, apparurent des tours de guet semblables à celles qu'on voit sur les photographies des camps de la Seconde Guerre mondiale. Des rafales de coups de fusil en partirent. L'escadre volante obliqua comme un seul homme, tous, oiseaux et lui obliquèrent en plongeant. Mais à peine avaient-ils échappé au feu que, le cœur affolé, ils se noyèrent dans ces grands filets qu'on tend sur la ligne de migration des palombes. Irún. Irún. Dans le filet, Etxemendi retrouva sa montre. Le train était arrivé à la frontière. Les voyageurs pour Saint-Sébastien changeaient de train.

2

Il tombait une pluie jamais vue d'un habitant du Nouveau Monde. Une pluie propre qui ne soulevait aucune poussière, qui ne désaltérait rien car rien n'était altéré. Des murs imperméables la renvoyaient à des rigoles pleines comme des rivières en crue et le fleuve Urumea, qui traverse la ville n'avait que quelques pas à faire pour la reconduire poliment à son réceptacle naturel, l'océan. Elle tombait avec une droiture telle que les gens n'avaient qu'à tenir droit leur parapluie. Elle tombait avec application, égalité, entêtement, monotonie, sans pause, sans diminuendo ou crescendo, ennuyeuse comme elle-même. Impossible d'imaginer quand elle avait bien pu commencer, quand elle pourrait bien finir. Ni le chauffeur de taxi ni le garçon d'étage de l'hôtel de Londres et d'Angleterre ne surent broder là-dessus ou sortir du pénible constat : il pleut, il pleut vraiment. Dans la Coquille (ainsi se nomme la baie divine qu'Etxemendi eut sous les yeux lorsqu'il se pencha, comme par jour de beau temps, au balcon de sa fenêtre) les eaux du ciel et de la mer confondues offraient le spectacle d'un déluge réussi, c'est-à-dire sans catastrophe, puisque l'eau sans fin buvait l'eau interminable.

De nouveau la réception prêta un parapluie noir. Cette fois, Etxemendi en profita pour aller acheter le même et, sur la lancée, un béret noir. Ces attributs ayant notablement modifié son aspect, il ressemblait davantage à tout un chacun. Alors il demanda au vendeur de journaux le journal que lisait le chapelier, entra dans le café le plus proche de la banque et attendit midi, heure de son rendez-vous, en lisant les nouvelles.

Le gouvernement chinois demandait à l'Inde de contrôler l'activité du Dalaï-Lama. La guerre avait repris au Liban entre Chiites et Palestiniens. Une bombe avait fait vingt-sept morts en Afghanistan. L'évêque de Bayonne, Mgr Molères, critiquait durement l'opération policière contre les réfugiés. Le village d'Ororeta en avait reçu trois avec tous les honneurs qui, livrés par la police française, avaient été aussitôt libérés par l'espagnole. HB (?) entrevoyait la réussite de l'alternative KAS (?). Mais les douze coups d'un carillon suspendirent les nouvelles du globe. Ô surprise! Quand il sortit du café la pluie avait rompu le pacte avec la monotonie. Elle obliquait en lançant des grêlons gros comme des balles.

A contre-jour s'il avait fait jour, à la façon des commissaires sauf qu'au lieu d'être assis il se tenait debout – debout entre son bureau et la fenêtre – attendait le señor Berroeta. Épais, massif, apparemment invulnérable à la fusillade dans le dos des grêlons contre la vitre, il n'alla pas à son visiteur mais le fit venir en tendant la main gauche. Sa manche droite semblait ne rien contenir. Etxemendi fut happé comme par une pince à sucre par cette main illégitime qui l'obligea à faire le tour du bureau. La droite existait mais occupée à s'appuyer sur une canne. En équilibre instable Berroeta désigna du menton, à côté d'un pied normalement chaussé, l'autre, nu et talqué dans une pantoufle. Podagre! s'exclama-t-il en guise de bienvenue. Le visiteur, n'osant retirer son appui, cherchait du regard où poser les deux parapluies quand il entendit un bref rugissement. Berroeta était tombé. Bien tombé : dans son fauteuil. Un signal d'alarme retentit aussitôt. Une femme d'aspect plutôt calme fit son entrée.

– Débarrassez monsieur, Maïté, et ne me passez plus de communications. Sauf le gaz Butane. Podagre, ou si vous préférez... pourri, enchaîna-t-il à l'intention d'Etxemendi, comme ça!

Il fit vers le climat, derrière la vitre, le geste de l'autostoppeur, avec une autorité telle que les grêlons, un instant, parurent s'arrêter.

– S'il n'y avait que le temps et moi-même de pourris dans ce royaume...

La tête du monarque présidait à l'entretien, impavide.

– Ne restez pas planté là, mon cher, asseyez-vous donc dans ce fauteuil, disait le vieux habile à désarçonner. Vous n'avez rien besoin d'expliquer, je sais tout : votre frère m'a téléphoné de sa thébaïde de Jiutepec. Je la connais, figurez-vous, j'en ai pris plusieurs fois le chemin quand je bougeais, avant que la goutte ne m'attrape. On m'appelait alors « le banquier volant ». J'étais responsable des succursales américaines de la banque dans le Cône Sud. Chaque fois que je me déplaçais, je m'arrangeais pour passer par Mexico, histoire de bavarder un peu avec Agustín. Sa vision de loin corrigeait ma vision de près. Maintenant tout est changé. Je suis chargé, ici même, de missions délicates, vous voyez ce que je veux dire?

– ?

– Bien. Je suis très content de votre visite. Elle est,

vous vous en doutez, complètement inutile. Vous avez un pouvoir mais c'est Antxon Arrieta qui a la clef, et Antxon, comme on dit, est dans la nature. Au fait, aimez-vous la peinture ?

Le vis-à-vis qui n'avait pas encore pipé mot commença de s'énerver. Tel n'était pas le but recherché. Il fallait simplement le décourager, lui faire toucher du pied le fond de son ignorance. Berroeta simula un mouvement qui déclencha un nouveau rugissement et, par voie de conséquence, une nouvelle sonnerie d'alarme. La femme correcte se représenta.

– Mon médicament s'il vous plaît, Maïté, avec un grand verre d'eau. Qui a appelé ?

– Don Julio, monsieur. Il souhaite vous soumettre le plus rapidement possible le projet de constitution de la société pour la mise en route de la centrale hydro-électrique de Soloagen. La municipalité collabore pour l'édifice, le terrain et la connexion avec le fleuve. L'investissement prévu est de cent millions de pesetas.

– Donnez-lui rendez-vous dès mon retour, lundi 19, 10 h 30. Merci.

Il avala son verre d'eau avec une grimace.

– Permettez-moi d'attirer votre attention, Etxemendi, sur cet admirable Berroeta, là, à votre gauche, le petit abstrait bleu marine. Simple homonyme hélas. Si ce peintre était de ma famille j'en ferais collection, mais il est déjà hors de prix. Les Basques, voyez-vous, ont depuis toujours la réputation d'être gens barbara, omni malicia plena, colore atra, visu iniqua, prava, perversa, perfida, fide vacua et corrupta, libidinosa, ebriosa, omni violentia docta, ferox et silvestris, improba et reproba, impia et austera, dira et contentiosa, ullis bonis inculta, cunctis viciis et iniquitatibus edocta... Point n'est besoin d'avoir été éduqué chez les jésuites pour comprendre, n'est-ce pas? Eh bien voilà ce que pouvait trouver dans son guide un pèlerin allant à Saint-Jacques-de-Compostelle, et ce, tenez-vous bien, au XIIe siècle! Le point de vue sur nous, vous le constaterez, n'a guère changé. On n'a pas attendu les procès de sorcellerie pour nous accuser de ne savoir que bondir et sauter en poussant des cris épouvantables... Erreur, profonde erreur. Admirez le mutisme, le merveilleux mutisme de cette petite toile de Berroeta. Chillida crie davantage mais c'est normal, un sculpteur crie toujours sinon il ne vaut rien. Et, entre nous, c'est son nom même qui crie. Mais remettons à une autre fois ce que j'aurai plaisir à vous apprendre sur la grandeur maudite de nos artistes, de nos musiciens en particulier, car je ne doute pas que vous aimiez la musique autant que votre frère, et revenons à nos moutons (ton légèrement méprisant). Je ne connais pas tout mais je connais en tout cas une des choses qui vous attendent dans le coffre dont vous n'avez pas la clef. Une œuvre d'art, une vraie pièce de musée : une arme. Un des premiers pistolets des guerres carlistes. Il date de l'époque où les plus belles armes d'Europe se fabriquaient dans nos manufactures. Votre oncle en faisait collection. Ce temps est bien révolu. Maintenant on se fournit en armes n'importe où, Syrie, Union soviétique... Heureusement la Banque est sage et intelligente, elle sait comment traire les vaches quand elles n'ont plus de lait.

Où, Diable, veut-il me conduire? se demandait Etxemendi en essayant de suivre. Il n'était pas commode de démêler dans le tableau de la situation que brossait Berroeta vers quel bord il penchait car il parlait à deux voix, l'officieuse venant trouer l'officielle à moins que ce ne fût l'inverse. Que les grands secteurs industriels basques – le secteur naval, le secteur sidérurgique, les biens d'équipement – avaient fait leur temps, qu'ils étaient à sec. La Banque continuait à traire le secteur électrique et nucléaire mais elle devait s'introduire de plus en plus dans les activités para-bancaires, brokerage, trading, leasing, factoring. Les grands bénéfices provenaient désormais de l'informatique, l'électronique, l'immobilier, les assurances, l'alimentation, le loisir. Ils offraient peu d'emplois mais entraient dans le champ européen. A défaut d'espagnoliser l'Europe, comme voulait le Basque Unamuno, on allait européaniser la Banque espagnole. L'Europe, telle était la nouvelle prairie de la Banque. Normal puisqu'elle est capitaliste. Quand Felipe González s'appelait Isidoro dans la clandestinité il défendait la nationalisation des banques, depuis qu'il présidait le gouvernement il ne s'en souvenait même plus.

Là, par exemple, Berroeta changea de voix. Il eut des accents indignés contre la fermeture imposée par le gouvernement de Madrid des chantiers de construction navale – une des vocations ancestrales du pays, une de celles qu'un peu plus haut il proclamait caduques ! Et, sur la lancée, avec un vibrato, il évoqua l'impôt dit révolutionnaire que prélève l'organisation armée sur nombre d'industriels basques dont une bonne partie était de ses clients. En échange de ce prélèvement sur ses bénéfices, l'entreprise pouvait se développer li-bre-ment (détacha-t-il) et participer dans la mesure de ses moyens à la lutte pour l'indépendance économique de la région. Puis, comme s'il était allé trop loin, frappant le parquet de sa canne, il revint à l'autre mesure et s'emporta contre ceux qui « récoltent les sous » dans l'organisation (maintenant il disait l'organisation comme un militant). La ré-col-te-des-sous, staccato, parut un instant plus redoutable – ou périlleuse? – que ce à quoi elle sert : la lutte armée. Jouait-il un rôle dans ces transactions? Ou était-ce à Antxon parmi d'autres qu'il incombait d'appliquer ce que l'étrange banquier appelait, droit dans les yeux, « une forme originale de justice sociale ». Etxemendi inclinait à croire qu'aucun détail n'était innocent et que Berroeta le mettait délibérément au parfum ou à l'épreuve, sans pour autant se compromettre. Son frère était-il pour quelque chose dans cette « initiation »? Comme il n'y avait nulle raison que ça s'arrête, il se décida à intervenir.

– En clair, si j'ai bien suivi, 1) les industriels basques sont d'accord pour soutenir la lutte pour l'indépendance de cette façon, ce qui ne les empêche pas d'être 2) d'affreux capitalistes qui s'y refusent mais 3) ils ont peur et 4) c'est quand même le meilleur moyen de blanchir l'argent au noir. Et Antxon dans tout ça?

– Bravo, s'écria Berroeta, bravo! Vous avez parfaitement saisi. C'est que vous avez tenu bravement plus d'un quart d'heure! Je finissais par me demander si vous ouvririez la bouche. J'ai décidé de vous mettre à l'épreuve dès que j'ai vu entrer dans mon bureau vos quasi deux mètres d'homme sain préservé du doute. Un apéritif?

Il se leva sans un cri, se dirigea sans canne d'un pas résolument normal vers un panneau de la boiserie qu'il fit glisser, découvrant un petit bar.

– Mais?

– Mais oui, c'est tout à fait ça, mon cher. Il s'agit d'une maladie imaginaire, ou diplomatique, qui me rend dans certains cas les plus grands services. Elle se déclenche quand je veux, quand il faut. Bien hardi celui qui se risquerait à venir me poser des questions délicates quand je suis en proie à une attaque de goutte, d'exécrable humeur de surcroît, car vous n'êtes pas sans savoir que cette maladie rend colérique. Et bien malin qui jurerait m'avoir vu le soir à Madrid quand on m'a entendu toute la matinée pousser des cris épouvantables à Donostia, dans mon bureau.

Etxemendi ne put s'empêcher de sourire et, par un effet auquel nous commençons à nous habituer, son sourire acheva de convaincre l'ami de son frère qu'il pouvait y aller de quelques informations supplémentaires. Il avait eu des contacts assez réguliers avec Arrieta – pour des raisons qu'il ne convenait pas d'évoquer ici et maintenant – au début des années soixante-dix et jusqu'à son arrestation à Gernika, en 1975. De lourdes charges pesaient sur lui. Il s'en était pas mal tiré puisqu'il n'avait fait que deux ans de prison, grâce à l'amnistie. Peu de temps après sa libération il avait repris diverses activités mais, pour des raisons de sécurité, Berroeta n'avait plus eu directement affaire à lui. En 1984, à Hernani, nouvelle arrestation. A partir de là l'informateur ne savait plus n'ayant pas suivi le cas de près : il y en avait trop. Il conseillait d'aller trouver l'épouse d'Arrieta à Arrasate. Lors de la deuxième arrestation ils étaient sur le point de se séparer car il y avait une autre femme mais la légitime étant la mère de ses enfants, ici c'était sacré, saurait où trouver Antxon.

– A Arrasate disiez-vous?

– Tout ici a deux noms, reprit aimablement Berroeta, comme Donostia-Saint-Sébastien. L'officiel espagnol et l'autonome basque. Arrasate c'est Mondragón. Arrasate-Mondragón c'est du pareil au même. Ne perdez pas de temps. Je vous laisse débrouiller les choses et nous ferons le point à mon retour. Prenons tout de suite rendez-vous. Voulez-vous inscrire sur vos tablettes le mardi 20 octobre, 13 h 30? Nous déjeunerons ensemble.

3

Suivant l'itinéraire indiqué par Berroeta qui, pendant son absence, mettait à sa disposition sa voiture de fonction – une Renault espagnole –, Etxemendi quitta l'autoroute en direction d'Azpeitia. Il remonta un cours d'eau dans une vallée étroite, passa devant de grands hôtels fermés, un établissement de bains également abandonné. Les eaux avaient-elles perdu leur vertu curative ou les employait-on autrement ? Les monts habillés jusqu'au cou de conifères s'ouvraient en bas, creusés, sucés par de petites usines qui se multipliaient annonçant une zone industrielle. Fausse annonce. Après Azpeitia le décor s'ouvrit. Une dépression austère repoussa les chaînons montagneux et apparut un aigle immense posé au sol, prêt à prendre son envol. C'était Loyola. Là était né saint Ignace. Là avait été conçue la fameuse troupe de choc des soldats du Christ dont il avait été le premier général. Pas si éloigné que ça de la mécanique... puisqu'à la prière il comptait les points comme au jeu de pelote. En somme, premier mécanicien du pays, pensa Etxemendi, j'y reviendrai, je lui rendrai certainement visite.

Après le sanctuaire en forme d'aigle de la Compagnie de Jésus, la zone industrielle reprit au pied des monts, ne lâcha plus un petit fleuve, le Deva, qui en figurait l'axe mais le paysage ne cédait pas pour autant ses droits naturels. Plus belle qu'une louve allaitant ses petits la montagne nourrissait ses hommes, fournissait le fer des aciéries et des manufactures, le bois de la pâte à papier, l'énergie des eaux pour l'électricité. Hidroelectra, Electra, Elektra. La laideur des villages devenus ouvriers ne se trouvait pas à l'usine mais dans l'habitat. Dans les hauts immeubles plats, troués de petits yeux jaunâtres comme des têtes de couleuvres et qui d'autres fois, à cause du relief accidenté, ressemblaient à des HLM sur pilotis. Dans les moments d'accalmie, lorsque forges et scieries s'interrompaient avec les sapins, de longues serres mettaient à profit d'étroites langues de terre pour y faire revenir les fruits et les légumes. Et, comme un leitmotiv, sur la bouche d'un tunnel, les tubulures d'une usine à gaz, en haut d'une cheminée, au dos d'un garage, sur un pic, un pré, vivement coloriées sur le gris, blanches comme la craie sur le vert, revenaient deux lettres obsédantes : HB Que pouvait bien signifier HB ? Une entreprise, une publicité, un homme? A la sortie de Bergara, Etxemendi longea une usine désaffectée qui, vu son nom d'Unión Cerrajera et ses dimensions, avait dû fabriquer des centaines de milliers de serrures. Et en arrivant à Mondragón il vit la même, une autre, en activité et encore une autre, de la même Unión, en chantier. Alors se souvenant du rêve qui avait fait rimer Ramone et Mondragón il se demanda si parmi tant de serrures il saurait trouver une seule clef.

Banlieue ouvrière du mont Udalaitz, ainsi pourrait-on définir Arrasate-Mondragón. Partout ailleurs ce sont les grandes villes qui ont des banlieues, dans le Guipuzcoa ce sont les montagnes. Même les crêtes secondaires se comportent en capitales et font dépendre de leur juridiction la ceinture affairée des hommes. Ceux-ci non seulement s'en accommodent mais en tirent profit à en juger par le nombre impressionnant de caisses d'épargne qu'on trouve dans ce coin. Combien faut-il donc d'habitants pour justifier tant de caisses et de banques, se demandait Etxemendi qui tournait en rond, vingt mille, trente mille? Pour l'instant, quatre heures de l'après-midi, il n'y avait pas grand monde dans les rues. Usines et coopératives tournaient à plein au bord du Deva, près du mont nourricier, et sur le mont d'en face grimpait l'habitat, stoppé net à mi-flanc par une ligne droite et claire d'immeubles qui paraissaient vides. Mauvaise heure pour trouver quelqu'un.

Il gara dans un parking où l'on comptait plus de flaques d'eau que de véhicules, passa devant l'Aurrezki Kutxa Munizipala, constata machinalement que tous les guichets étaient occupés, prit à gauche une rue qui montait. Au milieu d'une façade hérissée de ciment brut – encore une banque – trônait un très ancien blason, rapporté sans doute de quelque demeure seigneuriale. Mais quelques pas plus haut il dut se rendre à l'évidence : toute la ville qu'il avait traitée un peu vite de banlieue, puis de City biscaïenne, blasonnait, fière de sa noblesse. Délabrée mais formidable, la Maison du Consistoire portait les armes d'Isabelle la Catholique et l'église cet air sombre, défensif, de certains édifices religieux du Moyen Âge, bien fait pour étonner un habitant du Nouveau Monde, Mexicain de surcroît, habitué au style jésuite aimable qu'importèrent là-bas les soldats d'Ignace.

Il se trouvait derrière l'église, il voulut en voir la

façade. Mais face au porche une nouvelle caisse d'épargne l'attira. Son nom brillait en lettres d'or et c'est d'elle qu'il s'approcha toujours plus intrigué. Au travers des vitres claires qui veulent témoigner de la transparence, il reconnut ces fauteuils où l'on ne s'assoit guère, ces guichets grillagés devant lesquels on préfère attendre debout, bref, cette atmosphère mi-affairée mi-recueillie qui est celle de toutes les banques du monde. Sauf qu'ici s'affirmait par deux fois, en euskara et en castillan, un programme jamais vu en pareil lieu, sur une plaque de marbre, écrit en lettres d'or :

PERSONNE N'EST SERVITEUR OU MAÎTRE DE PERSONNE
SEULEMENT TOUS POUR TOUS
ACCEPTONS DANS NOS FONCTIONS DE NOUVEAUX COMPORTEMENTS
TELLE SERA NOTRE UNION HUMAINE ET PROGRESSISTE
QUI SOULÈVERA LE PEUPLE AVEC LA FORCE DU PEUPLE

Jouxtant cette intrépide Caisse Populaire du Travail – lan kide aurrezkia – il y avait une société d'assurances – aseguruak déchiffrait-il – dont quelqu'un sortit, qui le bouscula. Gêné d'être surpris en train d'ânonner, Etxemendi se réfugia carrément dans l'analphabétisme. Tirant un papier de sa poche il le montra avec les mimiques d'un qui ne sait ni lire ni parler.

– Eleizaren atzeanda, zure aurrean.

Il suivit la direction du doigt tendu, se retrouva derrière l'église dans la première rue, leva le nez, lut « Erixo Kalea » – avec au coin toujours le petit blason –, consulta de nouveau son papier, y lut « Erixo Kalea, 44 ». C'était la bonne rue.

Encore plus à l'étroit que les autres maisons dans son revêtement de ciment brut, le 44 avait une petite porte sourde – la sonnette ne sonnait pas –, une fenêtre au premier, une au second, sans rideaux, sans rien derrière, comme inhabité. Etxemendi irrésolu fixa un instant, au ciel, les nuages, puis entra dans la maison d'à côté qui affichait une préparation en mathématiques, physique, chimie, à Dieu sait quels examens.

– Kaixo ! Zer nahi duzu ? demanda un garçon sans s'arrêter de taper à la machine.

Dire toujours qu'on vient de loin, même en espagnol, c'est magique. Etxemendi obtint les renseignements désirés : Madame Arrieta avait déménagé depuis les événements. Elle habitait maintenant dans un de ces hauts immeubles qui surplombent Mondragón.

Aux coups frappés de plus en plus fort, un vieil homme finit par ouvrir, le béret sur la tête. Il parut ne pas comprendre ce que voulait le visiteur mais le laissa entrer et retourna s'asseoir sur une chaise, devant la fenêtre ouverte. On avait de cette fenêtre, au cinquième étage, une vue imprenable sur la vie ordinaire. Était-ce elle ou au-delà que le vieux regardait ? Sa chemise était d'une blancheur immaculée. Il eût été bien incapable d'en fermer le col et les poignets tout seul car ses mains tremblaient. Ni la chaise ni le pommeau de sa canne ne parvenaient à calmer ce tremblement. D'une maigreur extrême il flottait dans sa chemise blanche. Seule l'arête du nez témoignait de l'énergie du squelette. Il semblait ailleurs, assis devant la fenêtre et la bruine comme devant la cheminée d'une ferme disparue.

– Je suis venu de loin, de très loin, recommença Etxemendi, pour parler de Baserri Eder à la femme d'Antxon.

Le vieux battit légèrement une oreille de la main pour signifier qu'il était sourd. Etxemendi haussa le ton : baserri eder. la femme d'antxon.

– Arantxa ?

Etxemendi fit vigoureusement oui de la tête sans savoir à quoi il acquiesçait. Lentement, patiemment, avec un peu de gêne comme s'il forçait non la surdité mais un mutisme volontaire, il parvint à obtenir du vieil homme les renseignements suivants :

Que sa fille Arantxa – la femme d'Antxon certainement – rentrait tard parce qu'elle travaillait pour la Lan Kide Aurrezkia – il suivait parfaitement – dans une compagnie d'assurances – aseguruak, parfaitement – et ce n'était pas la peine d'attendre, elle rentrait tard et fatiguée. Demain matin elle avait korua-chorale, mieux valait venir demain après-midi, à la même heure. Pour plus de sécurité, Etxemendi laissa un mot sur la toile cirée annonçant sa venue demain même heure. Et sans oser s'approcher des photographies scotchées ou punaisées autour du buffet, il prit congé en remerciant. Au prix d'un effort le vieil homme tourna légèrement la tête vers lui. Une ébauche de sourire déchira légèrement son visage en deux. Agur, dit-il, agur, répéta Etxemendi.

A la sortie de l'immeuble, comme il traversait sans regarder, il faillit être renversé par un vélomoteur. Alors qu'il était dans son tort, l'enfant au vélo s'excusa. C'était une belle enfant brune, aux cheveux courts, au teint mat. Le nez droit, le front courroucé contre elle-même. Il aperçut un bijou à son oreille, au lobe percé de son oreille, une fleur en or. Sur le porte-bagages empilés, des livres et des cahiers tenus par un caoutchouc. Une écolière. Il s'éloigna, troublé, se retourna.

Elle n'avait pas freiné que pour lui. Un pied au sol elle criait en direction de l'immeuble. Aitatxi, criait-elle d'une voix verte et perçante qui fendait la mémoire. Grand-père! Dans une fenêtre du cinquième étage, comme dans un hublot, parut le vieux visage sous le béret. Elle lâcha le guidon, des deux mains bien ouvertes fit le chiffre dix, et redémarra. Dans dix minutes elle serait de retour. La fille d'Antxon lirait le message avant sa mère.

4

Le lendemain, Etxemendi prit la route comme un vieil usager, vite et sans rien regarder, jusqu'à l'escalier qu'il monta quatre à quatre. La porte était entrouverte, on lui cria d'entrer. Une odeur d'éther le prit à la gorge. A cause d'elle il ne vit d'abord, sur la toile cirée de la table, que des objets : un paquet de compresses, un flacon, un grand couteau de cuisine, une planche à pain, des bouchons de liège. Seulement après l'ample forme au petit chignon serré sur la nuque, assise en contre-jour. Debout près d'elle un garçonnet, vêtu de blanc des pieds jusqu'à la tête, soutenait de son bras gauche sa main droite. Pas trace de sang mais le couteau, l'éther... Il ne s'est pas blessé au moins? demanda précipitamment le nouveau venu. A l'ancre du chignon la tête balança, signe que non, tandis que le garçon éclatait de rire. Reste tranquille, gronda-t-elle, sinon je n'y arriverai pas et tu seras en retard.

Beñat allait disputer une partie de pelote à main nue et, comme il avait la main fragile, sa mère la lui protégeait en fixant sur le bord adhésif d'un pansement à l'éther de fines rondelles découpées dans du liège. Tel était le mystère de la scène. Elle entoura le tout d'une bande aussi blanche que le costume du pelotari qui, s'étant dégourdi un à un les doigts de la main bandée, parut apprécier le résultat, donna un gros baiser et fila.

– Quel âge a-t-il ?

– Presque dix ans, répondit-elle. Mon père, son grand-père que vous avez vu hier, l'a surnommé Amnistia.

Ses yeux se plissèrent malicieusement. Etxemendi sentit qu'il y avait de la malice sous son air sévère mais il ne comprit pas laquelle. Elle se leva. Debout, pesamment harmonieuse grâce au port droit et aux souliers plats. Mais elle rudoyait son visage en tirant si fort ses cheveux gris. Le hâle l'adoucissait à peine, un peu de couperose le griffait aux pommettes. Rose et gris compagnons de vieillesse. Il tendit la main avec son nom comme passe-droit.

– Etxemendi, Julen Etxemendi.

– Arantxa, répondit-elle tout court.

Moi je n'ai pas d'enfants, pensa-t-il à voix haute. Ma femme, commença-t-il. Puis gêné tourna court. Nous sommes séparés, divorcés. A quoi elle répondit qu'Antxon et elle aussi, d'une certaine façon, mais qu'à cause des enfants... Elle ouvrit grand la fenêtre pour chasser l'odeur d'éther ou de séparation puis entreprit de débarrasser la table. Sur le couteau son regard s'attendrit :

– C'était son meilleur couteau. Cela fait des années que je ne suis plus à la caisse de la boucherie mais celui-là je n'ai pu faire autrement que de le rapporter à la maison. Maintenant il sert à découper le liège.

Boucher ! Etxemendi avait imaginé tous les métiers sauf celui-là. Il l'avait imaginé bûcheron, mécanicien, serrurier, mais boucher ! Elle en parlait cependant comme d'un beau métier. Personne mieux qu'Antxon ne savait choisir les bêtes sur pied, désosser le mouton, découper la viande de bœuf comme on fait là-bas, en

Amérique. Un ancien berger qui avait passé des années en Argentine lui avait montré. Mais s'il avait suivi sa vocation il serait resté cuisinier. C'est comme ça qu'elle l'avait connu, au repas de noces de sa cousine, inoubliable. Parce que lorsqu'il était revenu pour la première fois d'Iparralde et qu'il cherchait du travail partout, sauf à l'usine, ça non, il ne voulait pas travailler en usine, il avait gagné sa vie en préparant les repas traditionnels. Pour les mariages, les enterrements, les repas de batteuse à la fin des moissons ou à la Saint-Porc quand on tue le cochon. Petit à petit on l'avait demandé partout, autant pour son joyeux caractère que pour sa bonne cuisine. Et comme son interlocuteur lui paraissait un peu ahuri, elle expliqua que les grands cuisiniers, ici, ce sont les hommes. Qu'il existe même de petites sociétés où les femmes commencent à peine à être admises et qui se réunissent une fois chez l'un, une fois chez l'autre, chacun à son tour faisant la cuisine pour tous. Il faut évidemment que le chalet, la ferme ou l'appartement soit doté d'une vraie salle à manger et d'une cuisine bien équipée. Pas comme ici, ajouta le regard sur l'évier qui jouxtait la cuisinière à gaz qui jouxtait le frigidaire qui jouxtait le buffet. C'est à Baserri Eder qu'Antxon avait appris. L'oncle lui avait tout appris.

Le neveu revoyait en silence la vaste cheminée, la cuisinière à bois, les longues tables dans la grange. Comment avouer à cette femme qu'il n'avait connu ni la ferme, ni l'oncle, ni le pays, ni rien jusqu'à certain soir où il était entré par hasard dans le jardin d'une maison inconnue. Mais le couteau revenait, obsédant, qui coupait les images. La boucherie, pourquoi est-il devenu boucher?

Comme une autre fois une autre plus jeune, plus brune, plus belle, Arantxa sortit du frigidaire une bouteille de vin blanc. Un petit vin d'ici, pour les choses sérieuses.

A cause de tous ces repas Antxon avait connu, dans les années soixante, des étudiants de Bilbao, nationalistes comme tout le monde mais pas non plus comme tout le monde. Les étudiants en savent toujours plus long que nous autres, n'est-ce pas? Satisfait d'être inclus, Etxemendi approuva sans hésiter. Ils veulent tout : l'autonomie, le socialisme, la réunification du Nord et du Sud et... jusqu'au pardon de leurs péchés! Le mouvement s'appelait Pays Basque et Liberté, Euskadi Ta Askatasuna. Quand elle avait rencontré Antxon, aux noces de sa cousine, en faisait-il déjà partie comme sympathisant? comme militant? Ça elle ne saurait le dire.

– Créer un État basque, c'est très joli mais ça arrivera le jour où les poules auront des dents, disait Aita. Nous, quand on a obtenu en 36 l'autonomie interne, on était en guerre. Nous aussi on est en guerre, répliquait Antxon. Père et lui étaient sans cesse en train de discuter. Nous, disait Aita, en 36 , devant le coup d'État des militaires, le gouvernement autonome avait le droit sinon le devoir de se comporter en État souverain, même qu'on est allé jusqu'à battre monnaie! Mais ces militaires, ces fascistes, ils sont toujours là, répliquait Antxon. Sur ce point il n'avait pas tort, Aita en convenait, on était encore en pleine dictature, en pleine humiliation, vous ne pouvez pas vous faire une idée de toutes les humiliations, et de toute façon Aita n'était pas mécontent qu'Antxon ait le dernier mot. Il venait à la ferme dès qu'il pouvait mais ça lui aurait écorché les lèvres de dire pourquoi. Parce que, voyez-vous, avec ses camarades, il ne croyait pas qu'on n'a qu'une vie, ça leur est égal, ils ne voient que leurs idées, ils ne pensent qu'à les réaliser, comme s'il y avait le feu, la guerre, et la guerre se fait avec des armes. Ils ont cherché des armes. Ils n'ont pas eu de mal à en trouver.

Aita disait : ne te tourmente pas ainsi ma fille, un époux c'est quelqu'un de fixe à la maison, il n'a pas un métier qui lui permette de t'épouser, tourne ton cœur vers quelqu'un d'autre. Mais, dans mon dos, il cherchait à arranger les choses. C'est ainsi qu'il a suggéré à mon beau-frère de prendre avec Antxon une boucherie à Arrasate. Moi je suis forte en calcul, je pouvais tenir la caisse et la comptabilité. Antxon a dit oui. Puis il m'a fait sa déclaration mais d'un air si lamentable que j'en avais honte pour lui. Alors je me suis levée – Arantxa se leva –, je l'ai regardé les yeux dans les yeux – elle mit son regard marron clair dans les yeux d'Etxemendi – et j'ai dit : tu n'es qu'un lâche Antxon Arrieta d'accepter ce marché si tu ne m'aimes pas. Tu n'es qu'un lâche si tu ne me dis pas la vérité. Pourquoi as-tu l'air si malheureux de me demander quelque chose qui me rend si heureuse?

– Pourquoi? répéta Etxemendi sur le même ton emporté comme s'il était elle, pourquoi?

– Parce qu'il m'aimait, cria presque Arantxa. Parce qu'il m'aimait depuis le premier jour mais qu'il n'avait jamais osé me le dire, parce qu'il n'était pas un cadeau, parce qu'il n'avait rien à offrir, parce que la vie qu'il m'offrait n'était pas une vie, que sa vie il l'avait déjà donnée, à la clandestinité, à l'exil, à la prison, à la mort. Ah ça pour répondre, il a répondu! Il n'était pas un militant, encore moins un sympathisant, il était un des chefs, un chef de la branche militaire.

– De la branche militaire, répéta Etxemendi interdit, accroché au sens littéral pour ne pas tomber, ne pas tomber dans l'erreur de poser encore une question qui serait fatale, se retenant de demander : de quelle armée? il comprit. Son sang ne fit qu'un tour. Euskadi Ta Askatasuna c'était ETA.

Maintenant ils gardaient un silence anxieux, elle d'avoir trop parlé, lui pas assez et de ne plus oser rien dire. Comment parler maintenant ferme ou héritage! Demander quoi au juste : est-il vivant? Et s'il est vivant, est-il libre? Et s'il n'est pas libre, à combien d'années est-il condamné? Etxemendi soupçonnait jusqu'au noir corsage d'Arantxa de n'être pas le noir paysan mais celui du deuil. Quelle question poser à la femme au corsage noir de l'homme qu'un notaire et un banquier supposaient perdu pour le monde?

Sur ce, le monde enjamba gaiement la fenêtre ouverte. Une voix joyeuse, une voix d'enfant joyeuse cogna le cristal du soir qui résonna. Ama! Ama! On a gagné! Arantxa courut à la fenêtre, se pencha, frappa dans ses mains de contentement. Puis, vite, alluma l'électricité, sortit d'autres verres, une autre bouteille de Txakoli. Non, pas la partie de pelote, ce n'était pas Beñat mais sa fille Begoña et le grand-père qui rentraient. Ils avaient gagné la partie de mus! Le samedi, parfois le dimanche, Begoña accompagnait son grand-père au café pour qu'il y dispute sa sacro-sainte partie de mus. C'était sa seule distraction, quasiment sa seule sortie de la semaine mais comme il se faisait vieux et dur d'oreille il ne pouvait plus y aller seul. Alors Begoña l'accompagnait. Elle pariait, défiait, bluffait pour lui et il avait l'impression d'avoir disputé sa partie! Et comme il fallait être deux pour aider Père à monter l'escalier, Arantxa pria Etxemendi de descendre à sa place, pour aider Begoña, de descendre à sa place tandis qu'elle préparait la soupe.

5

La seule façon de connaître le pays, selon Begoña catégorique, était de se trouver demain à Sangüesa, Navarre. Elle donnait rendez-vous à Monsieur Etxemendi (oh non, je vous en prie, appelez-moi Julen) devant l'église au bout du pont qui enjambe le rio Aragón, juste à l'entrée de Sangüesa, à neuf heures et demie du matin. Comme on attendait du monde, un monde fou, dès qu'il sentirait la mauvaise odeur des papeteries Navarra, garer la voiture là. Il y aurait un parking. Parcourir le reste à pied. Au cas où il ou elle aurait un contretemps, rendez-vous à la demie de chaque heure au bar Leire, très facile à trouver, dans la rue principale, au milieu, à droite en venant de l'église, sous un vieux machin au premier étage qui s'appelle « Cercle carliste ». Le bar se trouve juste en dessous.

Mère et fille ne semblaient d'accord sur rien. Et d'abord pourquoi ce rendez-vous si tôt puisque rien ne commençait avant midi ? Pas du tout, selon Begoña, on ouvrait le circuit à dix heures trente, les géants arrivaient dès dix heures. Et quel intérêt pouvait offrir à quelqu'un qui vient d'Amérique le fait de voir des gens marcher ? Phénoménal, selon Begoña, puisqu'il n'avait certainement jamais vu des gens payer pour marcher. Eh bien, qu'ils ne marcheraient pas longtemps, la météo annonçait de la pluie. Que la météo se trompait (comme d'habitude). Enfin ma fille, s'écria Arantxa, on voit que ce n'est pas toi qui conduis, Donostia-Sangüesa ce n'est pas la porte à côté et jusqu'à Iruñea (Pampelune) il n'y a que des tournants. Avant le jour et sous la pluie, tu veux qu'il ait un accident? Maman (avertissement suivi d'un silence), Monsieur Etxemendi (non, je vous en prie, Julen Julen) est majeur et vacciné. Et puis c'est moins loin pour lui que pour nous. Nous? tu veux dire toi, moi je n'y vais pas. Toi tu viens avec moi, le car part à sept heures. Non et non, je suis fatiguée, Begoña, tu ne veux jamais admettre combien je suis fatiguée de tout ça, je ne veux pas, je ne veux pas me retrouver nez à nez avec (silence et silence). Soudain Begoña s'élança et se pressant contre le dos de sa mère l'entoura de ses bras doucement, la berça doucement comme fait avec l'agneau malade le bon berger. Elle n'y sera pas, Maman chérie, je te le promets, tu sais bien d'ailleurs qu'elle ne peut pas y être vu les circonstances. Jusqu'alors Etxemendi ne s'était pas senti de trop, mais alors, prétextant l'heure tardive, il avait pris congé.

Peu importait, en vérité, que la femme d'Antxon décidât ou non d'aller à Sangüesa puisque la fille d'Antxon s'y trouverait. Son autorité le fascinait. Elle rendait le monde clair, clair jusqu'à ses quinze ans qu'elle habitait en très jeune homme et en très jeune fille, sans ambiguïté. Elle aurait pu être l'enfant de celui qui roulait vers elle excité, s'efforçant justement de chasser l'ambiguïté. Certainement la fille de son père, se disait-il, et je vais découvrir pourquoi on paye en marchant. Telle est certainement la cause de mon excitation. La cause, la cause de son père, elle ne laisse rien reposer, pas même moi, Ramone, qui voudrais tant me reposer dans tes bras. Il avait peu dormi, ses nerfs étaient à vif, ses pensées agitées.

L'ingénieur Etxemendi n'avait pas du tout saisi ce qui allait se passer à Sangüesa ce dimanche d'octobre ni pourquoi, selon Begoña Arrieta, il fallait absolument y être. L'unique chose dont il était sûr c'est qu'il y serait lui. Des petites lanternes rouges l'avisèrent qu'il faisait jour, aux balcons d'un village les géraniums s'étaient allumés. Puis la route s'enfonça dans les monts parmi les courbes et les branches encore pleines de nuit. Impossible d'aller vite. Dans le ciel, plus véloce, un soleil grognon s'ébrouait culbutant les nuages. L'astre disparut dans un virage de plomb dont il ressortit avec un mauvais éclat. Deux ombres vertes, dans un col, firent signe de s'arrêter. La Garde civile s'habille en vert, depuis la transition, pour mieux se fondre dans le paysage. Vos papiers! Etxemendi commença par protester qu'il roulait à cinquante à l'heure puis aussitôt se calma et tendit humblement son identité. Omission du port de la ceinture obligatoire: mille six cents pesetas. Il paya en liquide pour en finir plus vite. Pendant que l'un remplissait le reçu avec une lenteur qui paraissait une offense de plus, l'autre ordonnait à la voiture suivante de se ranger, puis à la suivante et à la suivante.

Après Pampelune la circulation se passa de la police pour se bloquer d'elle-même. Pare-chocs contre pare-chocs au milieu des champs de blé, à neuf heures du matin, on se serait cru en plein Mexico à six heures du soir. Maudissant tout, à l'exception de Begoña qui avait pensé au contretemps possible, il n'était plus même sûr d'arriver à la demie de dix heures au bar, au bar qui se trouve au-dessous d'un machin carliste, lorsqu'il huma avec délectation la mauvaise odeur qui rôde autour des papeteries – fussent-elles au repos. La vision du parking de fortune dans lequel des centaines, des milliers d'automobilistes s'étaient garés avant lui ne le découragea pas, ni même après l'encombrement des voitures celui des piétons qui l'empêchait de mettre à profit la longueur quand même exceptionnelle de ses jambes. Rien ne pouvait désormais entamer sa bonne humeur : il avait quasiment retrouvé Begoña, il était arrivé. Et affichant ce sourire qui l'excusait auprès de tous il se mit à doubler hommes femmes et enfants, à droite comme à gauche, sur un rythme étourdissant.

Vite, vite, mais était-ce la Navarre ou lui le plus en retard? Car elle était très très en retard Nafarroa, disait Begoña se retournant à tout bout de champ pour vérifier qu'il la suivait. Comme toi en euskara. Normal puisqu'il n'y a pas d'écoles, tu comprends, pas d'ikastolas, c'est très grave parce que la majorité elle ne parle plus que le castillan. Alors une fois l'an on se réunit tous pour la Vierge del Pilar, c'est le plus long week-end d'octobre à cause du lundi férié, on organise une grande fête, on arrive tous en Navarre à l'endroit où on veut bâtir une école, ça change tous les ans, les six provinces arrivent pour soutenir, avec des chanteurs, des bertsolaris, des bûcherons, des musiciens, des dantzaris et des txistularis, il y a des concours de chants, des concours de force, les géants viennent aussi de tous les villages autour, plein de choses mais le plus important, le but, c'est *Kilometroak*. Aujourd'hui il n'y a que quatre kilomètres à parcourir, ce n'est vraiment pas long mais tu dois payer le plus possible pour chacun. J'espère que tu as de l'argent comme ça on fait avancer les choses en marchant, on récolte de quoi construire... Tiens, la voilà. Regarde, au bout de la place, cette pauvre petite ikastola minable de rien du tout. Le circuit part d'elle, longe le fleuve et retourne à elle qui bientôt n'existera plus car on en construira une belle, une grande, qui contiendra beaucoup d'enfants, des centaines d'enfants. Ils ont déjà choisi l'emplacement. Rien que le terrain coûte quinze millions de pesetas, tu te rends compte ? C'est pour ça (et si c'était contre ça que la *Benemérita*, ainsi nommée en d'autres temps, dépouillait aujourd'hui les pauvres automobilistes ?) qu'il faut donner tout ce qu'on peut. L'inscription là sur la banderole, *Euskarari Garatzen Utzi* : c'est le mot d'ordre. Il faut aider l'euskara parce que si on n'aide pas l'euskara à se développer dans cette zone qui n'est pas bilingue à cause de la loi c'est encore foutu pour des années. A l'heure du déjeuner, tu verras, on sera encore beaucoup plus nombreux, des dizaines de milliers, ils ont préparé des milliers de repas les gens d'ici et de tout autour.

Begoña, de plus, avait une voix de clairon. En dépit du vacarme ambiant pas une phrase d'elle qui ne surnageât. Ils avaient parcouru quelques centaines de mètres lorsqu'une grosse fille assez mastoc fit un signe à une autre qui fit signe à une autre qui fit signe à Begoña qui s'arrêta net de parler. Prenant Julen, sans explication, par la main, elle lui fit remonter à contre-courant le flot des marcheurs. Mais pourquoi ? demandait Etxemendi, où donc mais où donc m'emmènes-tu maintenant ? Saluer l'ancien maire de Mondragón, le lehendakari Ardanza. Qui ? Le président du gouvernement basque. Ah, je savais bien que vous aviez un gouvernement ! Bidon, bidon, murmura Begoña essoufflée car maintenant ils couraient, dis, as-tu des pesetas ? Encore ! s'exclama-t-il en riant. Tu veux me ruiner ? Non, non, juste des pièces de monnaie... Il vida ses poches.

D'un vieux palais rebaptisé Culture sortait un groupe d'officiels. Rien ne les eût distingués de la foule n'était-ce cet air grave et réjoui qui endimanche les fonctionnaires dans l'exercice de leur fonction. Ils furent applaudis. Begoña ne regardait pas du tout dans cette direction mais à l'opposé, vers un ensemble disparate composé de quelques gaillards et de beaucoup de femmes qui se mirent à lancer des slogans : PSOE HITZAILE ! PNV LAGUNTZAILE ! Par la grâce ou la malédiction du bilinguisme les slogans délivrèrent un contenu aussi désagréable pour le parti socialiste que pour le parti nationaliste : PSOE ASSASSIN ! PNV COLLABORATEUR ! Ceux qui avaient applaudi se retournèrent contre les injurieux aux cris de FASCISTES ! Alors une pluie horizontale, une pluie de monnaie basse s'en vint frapper les officiels au visage. Contre eux Begoña lança furieusement ses pesetas. Mes pesetas ! vit en un éclair Etxemendi. Le lehendakari et son épouse disparurent, escamotés par leurs acolytes. L'échange d'insultes se poursuivit cinq minutes et s'arrêta au bord des coups. L'incident était clos.

Sanction du ciel, il s'était mis à pleuvoir, juste une averse, promit Begoña qui se trompait. Un mouvement s'était créé à l'instigation des familles et des avocats pour venir en aide aux prisonniers politiques. Et ce mouvement en faveur de l'amnistie pure et simple, soutenu par Herri Batasuna dit HB, la coalition nationaliste de gauche qui soutient ETA militaire, dès que l'occasion s'en présentait, manifestait son hostilité au parti nationaliste qui soutient le gouvernement basque. Mais qu'est-ce que vous avez donc contre ce gouvernement s'il est basque ? Qu'il est faux, s'écria Begoña, faux, traître et mou, et puis et puis il y a autonomie et autonomie, la fausse et la vraie. Mais pourquoi lancer des pesetas contre ce pauvre leda, lenda, bref, ce pauvre président alors qu'il vient de déposer un chèque énorme pour la future maternelle en langue basque? Parce que parce que, s'écria Begoña, rouge comme un géranium, en colère contre l'imbécile qui ne comprenait rien et qui la troublait par-dessus le marché, en colère contre la pluie homme, en colère, parce que parce que l'argent tout seul ne fait pas le bonheur! s'écria-t-elle enfin sans argument parce qu'elle n'avait d'autre argument que son sentiment et son appartenance.

Maintenant ils marchaient. Elle mettait deux ou trois pas dans une enjambée d'Etxemendi. Ils marchaient tous à toute allure, pour aller plus vite que la pluie, évidemment. Ça devenait du footing. Ralentissez nom de Dieu, cria un gros malin, sinon *Kilometroak* va se transformer en *Korrika*! Tu m'as vu, petit, répliqua un Hercule basque. Moi je ralentirai le jour de la Libération. J'ai commencé à déconner, fit-il à l'usage d'Etxemendi qui lui paraissait seul à la hauteur des circonstances, quand j'ai vu mon premier mort par balle. J'ai pas supporté. Et s'il faut une troisième guerre mondiale pour que mon pays se retrouve entier comme avant le Déluge, je dis : allons-y pour la troisième! Dans cette éventualité combien prévoyez-vous de morts? s'entendit demander notre humain outragé au nom de l'humanité. La mienne suffira, répondit le géant qui s'éloigna superbe.

Begoña était devenue toute blanche depuis qu'elle n'avait pas su argumenter. Etxemendi s'en mordait les lèvres. Ce n'était pas à lui de faire entrer le doute en elle. Il eût mieux fait de l'embrasser et de commettre une bêtise en la prenant dans ses bras. Elle suivait une consigne qu'elle n'était pas capable d'expliquer, et alors? Ne m'en veux pas, lui dit-il en la saisissant fortement par le bras, en haut. Je suis un idiot, souffla-t-il contre ses cheveux mouillés, j'ai besoin que tu m'aides, aide-moi, Begoña. Elle tourna vers lui son visage humide et jusqu'à ses cils lui promettaient leur aide. Il eut peur de ce qu'ils allaient dire.

– Ta mère m'a surtout parlé d'autrefois, un peu comme si elle portait le deuil. Mais c'est maintenant, tu entends, maintenant qui m'intéresse. Que dois-je faire pour la ferme? Elle t'a mise au courant n'est-ce pas? Que dois-je faire avec cette ferme et qu'est-ce qu'Antxon voudrait?

Begoña s'arrêta. Aussi soudainement qu'elle avait bondi sur sa mère afin de la protéger, elle s'arrêta comme si le parcours était achevé. Elle prit maladroitement sa main, comme une fille un peu garçon, sa grande main qu'elle serra très fort en la secouant. Il n'y a qu'une chose à faire, dit-elle d'une petite voix, une seule chose : voir Papa et savoir ce qu'il en pense, lui.

Jusqu'à cette minute Etxemendi n'avait pas pris conscience de sa peur qu'Antxon fût mort. En silence à l'intérieur du silence d'Arantxa, hier, après qu'elle eut trop parlé et lui pas assez, la question vie ou mort avait bien tournoyé mais il ne s'était pas senti capable de la poser à haute voix. Et puis après il n'avait pensé avec obstination qu'aux femmes. A la nouvelle, l'unique nouvelle performative au monde, qu'on y est, qu'Antxon y était bien vivant, il eut un étourdissement. Emportant la main de Begoña avec la sienne jusqu'à son front il souleva son béret comme pour desserrer l'étau, ferma les yeux. Garde les yeux ouverts, dit fermement Begoña, et appuie-toi sur moi. La costaude qui ne se tenait jamais très éloignée d'elle arriva en urgence. Entre ces piliers inégaux Etxemendi retrouva l'équilibre. Son vertige se dissipa. Maintenant ça suffit comme ça, dit la grande, on va pas attraper la crève. On n'est pas des martyrs. On va aller manger et sécher.

La pluie avait vraiment gâché les choses. Elles présentaient leur mauvais profil, une allure de kermesse ratée. Les aires de repas se vidaient. Les couteaux, les fourchettes sautaient en vrac dans des sacs emportés, à la hâte, vers d'autres lieux. Les tables aussi se repliaient pour aller s'ouvrir ailleurs, au sec, entre les murs de la salle communale ou sous le fronton couvert. Beaucoup décidaient de reprendre la route et de rentrer chez soi.

Etxemendi se retrouva entre les deux filles au bout d'une longue tablée. La soupe aux haricots venait d'être servie. Le vin coulait à flots. Que d'Arantxa ! s'exclama-t-il en apprenant le prénom de sa voisine de droite. Sans compter la championne de tennis, ajouta celle-ci. Tout ça à cause de Notre-Dame d'Arantzazu dite Aubépine. On y va en pèlerinage.

– Et Begoña ?

– A cause de Notre-Dame de Begoña !

Elles pouffèrent sur leurs noms de vierges.

– Moi j'ai une autre raison d'être Begoña, confia l'intéressée. Quand Papa a emmené Maman en voyage de noces dans le Nord, à Biarritz

– Biarritz ?

– tu connais ?

– oui,

– ils ont regardé l'océan comme on regarde pendant la lune de miel (rires) d'une petite plage, pas la Grande. Il y avait une maison extraordinaire qui descendait pratiquement jusque dans le sable, avec des fers forgés, des escaliers tournant autour, des terrasses, des fleurs, qui s'appelait Begoña. Papa a dit, cette réflexion a toujours rendu Maman malade : après la réunification on s'installera ici ! (Rires.)

A la barbe de Julen, sans se démonter, Arantxa s'adressa en basque à son amie. L'une et l'autre se mirent à le dévisager effrontément.

– Tu sais à qui elle dit que tu ressembles physiquement? A Txomin. Tu vois qui c'est?

– Non mais puis quoi, bien sûr que je vois qui c'est, affirma vigoureusement celui qui avait entendu pour la première fois ce nom au téléphone, il y a huit jours.

– Il était moins grand mais plus maigre alors il donnait l'impression d'être plus grand et il avait un sourire, un sourire comme toi.

– Et des jambes à la Gary Cooper, ajouta l'autre qui se leva pour aller chercher du pain.

Begoña en profita pour dire que devant Arantxa on pouvait parler. Arantxa et elle? Les deux doigts de la main. Son père aussi était un politique mais il avait plus de chance car sa prison, à Nanclares de la Oca, c'était un quatre-étoiles à côté de celle où se trouvait Aita. Père était enfermé dans la pire de toutes, à Herrera de la Mancha. Sa mère et elle iraient lui rendre visite en fin de semaine. Viens avec nous, dit-elle. Vendredi soir, elles prenaient le car avec les autres. Viens, décida-t-elle. Je te donnerai la moitié de mon temps de parloir.

– Le pain m'a toujours donné des idées, fit Arantxa en se rasseyant. Je trouve qu'avant la fin de la semaine Julen devrait rencontrer Milagros. Elle écrirait une lettre qu'elle lui remettrait, il te la remettrait, et tu l'apporterais à ton père. Je suis sûre que ça lui ferait rudement plaisir d'avoir des nouvelles parce qu'en ce moment...

Après un sérieux temps de réflexion Begoña fut d'accord. Milagros était la deuxième femme de son père. Elle vivait pour l'instant de l'autre côté, au Nord, à Baigorri où elle travaillait. Andereño dans une ikastola. Maîtresse d'école, quoi.

– Une femme formidable, expliqua Arantxa. Begoña et elle ont exactement le même caractère.

Begoña, très contente, haussa les épaules. Elle inscrivit le nom et l'adresse sur le coin de la nappe en papier puis fit signe à son amie de se dépêcher d'avaler son dessert : elles étaient en retard, elles avaient des choses à faire.

Etxemendi eut du mal à les laisser partir, à se séparer d'elles, à retrouver sa voiture, à démarrer tant la boue s'épaississait autour des pneus. Dans l'ensemble, du mal à tout.

6

Dès qu'il franchissait le seuil de sa chambre d'hôtel la pensée de Ramone l'assaillait. Elle s'ébrouait autour de lui joyeuse comme un chien avant de le serrer à la gorge. Cette fois, gémissait-il non sans ravissement, je suis vraiment mordu. L'étreinte se desserrait quand, ayant remis au concierge la clef de sa chambre, il sortait retrouver l'histoire d'Antxon. Mais depuis deux jours il n'était pas sorti, sauf pour acheter des médicaments, des livres chez Bilintx et la presse. Résultat des pluies, des émotions, des kilomètres, un de ces bons rhumes sans fièvre qui donnent l'illusion de la fièvre le tenait, rien, personne d'autre ne le tenait. Il tournait en rond dans une atmosphère de camphre et d'eucalyptus autour de la seule médecine capable, selon lui, de guérir : le papier à lettres à en-tête de l'hôtel. Mais immanquablement lorsqu'il se penchait sur lui comme s'il était *elle* revenait le maudit commentaire du mari de sa femme au brouillon : « Julián ! (comme ce prénom lui allait mal depuis Julen) un homme de cinquante ans ne s'exprime pas ainsi, c'est une lettre de nouveau-né ! »

La voix autoritaire de Milagros, appelée dès le retour de Sangüesa, lui déplut. Et qu'elle ne lui donnât rendez-vous que mercredi, l'abandonnant à ces plaintes de nouveau-né. Allons Julen, un peu de cran! lança-t-il au miroir devant lequel il se rasait. Le résultat ne se fit pas attendre, il se coupa.

L'idée de repasser en France pour reprendre la route de Saint-Jean-Pied-de-Port le rebutait. Comme si Aramburu le jeune apprenant (on se demande comment) qu'il était passé à deux pas sans s'arrêter dire bonjour allait s'en formaliser. Non. La vraie raison est qu'il appréhendait sur les panneaux routiers, à une poignée de kilomètres, le nom de Biarritz. Et d'être tenté par l'aimant du vide comme par le papier à lettres. Ce n'était certainement pas une bonne idée que d'aller photographier la villa de Ramone afin de la lui envoyer en cadeau. Pas davantage d'aller en pèlerinage à la villa devant laquelle Begoña avait été conçue! Alors il se plongea dans l'étude de son guide, de ses cartes où il aperçut une très jolie route qui longeait la Bidassoa sans la franchir. Elle traversait la vallée du Baztan et, par le col d'Izpegui, le déposait royalement aux pieds de Saint-Étienne-de-Baïgorry.

Dans la vallée du Baztan il éprouva, pour la première fois depuis son arrivée en Europe, le sentiment de la quiétude. Le vieil accord entre les hommes et le paysage n'existait pas qu'en imagination, il se jouait encore là, sous ses yeux. Etxemendi l'entendait. Rien d'irréel. On sentait encore la suture des hostilités; que le commerce, la propriété avaient eu leur mot à dire; que l'histoire était bel et bien passée par là mais qu'elle avait dû se soumettre en vertu d'un arrangement antérieur entre les hommes et les lieux. Cette durée-là n'avait pas de temps. Une telle douceur émanait des dalles roses d'une clôture qu'elle cessait d'être clôture, juste un tracé de grès rose dans le vert, civilité de la montagne à la prairie. Et la prairie cessait d'appartenir à la maison forte pour faire tout simplement partie de la famille. A la beauté des maisons navarraises chacun avait concouru selon ses possibilités : la noblesse en posant ses armoiries, le Moyen Age ses portes en ogives et l'air exquis de longs balcons à l'étage, pour être respiré dans la tranquillité. Les maisons qui se défendent gagnent un avenir mérité. Et si en cela même consistait le mystère du pays? se demanda Etxemendi qui accéléra, un peu agacé, parce qu'une cohorte pressée cherchait à escalader le mont avant lui.

Le ciel, qui portait son bleu de ciel encore humide, accéléra aussi. Pas plus que l'automobile il ne put éviter la cohorte de nuages en guenilles, féroces et pressés, qui dépassant la Renault espagnole prenaient la même route grimpant jusqu'au col d'Izpegui. La douane espagnole laissa faire, laissa passer. Etxemendi confondu n'eut à montrer aucun papier. En haut du col, à la venta, la séparation entre les voyageurs eut lieu. L'humain, qui ne voyait plus rien, entra boire un café et à la sortie de la venta, il tomba sur le dernier de la troupe, le plus gueux, le plus mal en point, le plus effiloché des nuages. Par un effet d'optique merveilleux, le soleil en personne paraissait le pourfendre. Un soleil furieux qui parut, en personne, passer la frontière au col d'Izpegui et se répandant vainqueur sur le versant français, des cimes du pic Iparla au mont Autza, désigna au bout de ses rayons une vallée tout aussi belle qui était celle de Baïgorry.

Milagros avait donné rendez-vous mercredi, au café près du fronton, parce que le mercredi est jour de congé des maîtresses comme des enfants. Elle enseignait à l'ikastola d'Ossès, à quelques kilomètres. Elle commença par ne parler que de ça. Pour quelqu'un qui venait comme elle de l'Université – études avancées en linguistique indo-européenne et en philologie basque –, retomber sinon en enfance du moins en maternelle posait apparemment un problème. Elle avait été l'élève de Mitxelena, Koldo Mitxelena, répéta-t-elle, levant le menton et creusant les épaules comme dans un spasme. L'effet escompté n'ayant pas eu lieu, elle fut intriguée : vous ne le connaissez pas? Etxemendi avoua que non. Ingénieur des Ponts et Chaussées, il arrivait du Mexique etc. Comme d'habitude. Et sa parade eut, comme d'habitude, le don de susciter l'explication.

Que Mitxelena était le père de l'unification de l'euskara. La plus grande autorité en langue basque. Celui qui avait eu le courage d'aborder, à un moment difficile et polémique, la définition normative du *batua* qu'écrivains et médias usent aujourd'hui couramment. Du courage il en avait toujours eu. Volontaire des milices basques pendant la guerre, condamné à mort par la dictature, sa peine avait été commuée en années de prison qu'il avait entièrement consacrées à l'étude. Il nous disait même avec cet humour que je n'aurai décidément jamais : « Peu ont eu ma chance de disposer ainsi de tant de temps pour l'étude »! Vous voyez – et son air fauve la reprit sous les tortillons de sa chevelure –, les choses sont mal faites. C'est moi qui devrais être en prison, je saurais au moins comment passer le temps, j'achèverais mon doctorat! La remarque déplut à Etxemendi, il y décela de la coquetterie.

– Mais ce professeur, interrogea-t-il, n'est-il pas l'auteur d'un immense dictionnaire de la langue basque dont le premier tome seulement est paru et qui compte trois ou quatre mille folios alors qu'il ne comprend que la moitié de la lettre A?

L'ignorant connaissait au moins l'alpha de son maître. Un vivat de chevelure accueillit la nouvelle.

– Alors, conclut l'ignorant, il est mort.

La jeune femme le dévisagea avec plus de soupçon que s'il avait été flic, agent double, balance de son état. Lui rassemblait péniblement ses souvenirs de presse dans la chambre enrhumée. Oui oui, mort dimanche, il l'avait lu dans *Egin* ou dans *El País*, l'enterrement avait eu lieu hier à l'endroit où il était né, Renteria?

Elle s'affaissa. Si soudainement qu'il en éprouva de la gêne, un fort regret d'avoir parlé. Mais elle, prenant le plus court chemin de la douleur, l'exprimait, se mettant à pousser devant elle à l'aveugle et en désordre un troupeau de petites plaintes. Oh j'ai du chagrin oh oh comme c'est dur et moi qui ne l'ai pas revu oh pas vu pas écrit depuis le jour oh pas été au cimetière dire adieu dire merci pour tout oh, soupirait-elle yeux fermés, tortillonnant de plus en plus vite une mèche châtaigne autour de son doigt, tous les amis de Vitoria ont dû s'y retrouver et moi et moi ici pas le temps même les journaux trop de travail trop d'enfants et le mien qui ne veut rien manger et moi non plus je ne m'y fais pas le village la campagne moi je suis de la ville et ma famille mes amis oh

Sa bouche demeura entrouverte comme un cadre autour du nom qu'attendait Etxemendi. De plus en plus embêté, ce dernier, car elle ressemblait à une femme qu'il avait connue énormément. Les jambes croisées décroisées, le lancer de chevelure d'une épaule à l'autre, la moue surtout il connaissait, la lèvre inférieure qui pousse l'autre avec dédain et l'autre, surexposée, se mettant à trembler. Agitée, malheureuse, oui, cette femme l'était, avec toutes les raisons du monde, mais égoïste comme un homme Etxemendi trouvait qu'elle s'occupait trop d'elle.

Au même moment, empoignant sa chevelure, Milagros

tirait toute la situation en arrière et livrait sans le nom, à la troisième personne, l'occupant réel de sa vie.

– Oh comme il me manque je ne peux pas vivre sans lui. Quand je l'ai rencontré il sortait de prison il avait l'âge d'être mon père quarante-sept ans moi vingt et maintenant plus rien ni exil ni métier je ne comprends plus ma vie. J'étais prête à l'aimer avant de le connaître à cause du grand passé des luttes tout ce prestige qui l'entourait pas dans ma famille évidemment à l'université car il représentait ce que nous voulions tous être – des politiques – et d'une intelligence extraordinaire alors qu'il a eu une vie si ordinaire cuisinier boucher ça aussi pas d'études pas de livres le contraire de mon maître. Et quand le PNV s'est scindé en deux je suis immédiatement allée le lui dire en prison (il était retourné en prison) que Mitxelena avait opté pour Eusko Alkartasuna avec Garaikoetxea et qu'il se prononçait pour un nationalisme d'autodétermination plus radical mais il a rétorqué avec ce sérieux qui est le sien dès qu'on touche à la politique : Milagros il n'y a pas de nationalisme plus ou moins radical pas d'avenir dans le sucre que réclament les chiens. Il n'y a d'avenir que dans l'autodétermination telle que nous l'avons définie dans les cinq points ce pourquoi je suis en prison et dors seul et sans toi.

Alors lâchant ses cheveux elle baissa la tête. Son front touchait presque ses genoux. Elle murmurait à ses genoux qu'Antxon seul aurait pu la consoler. Lui savait combien le maître est une épine dans le cœur. Une épine à jamais maintenant puisqu'elle ne l'avait pas revu depuis. Depuis le jour à Vitoria dans son bureau où elle lui avait annoncé qu'elle quittait tout, lui, l'université, sa thèse, pour suivre l'homme qu'elle aimait et dont elle était enceinte. Et alors il il il

Un hoquet puis plus rien. Elle pleurait. Etxemendi qui commençait à tomber un petit peu amoureux changea de chaise, passa un bras autour de ses épaules et de l'autre sortit de la poche un grand mouchoir immaculé. Bientôt les épaules se calmèrent. Milagros ayant vaillamment cessé de pleurer, il laissa sur la table l'argent des consommations et l'emmena promener du côté de la rivière. C'était de loin avec ses hauts talons la plus haute femme d'Antxon. Il s'accoudèrent sur le pont en dos d'âne. L'air frais, le soleil encore chaud, la Nive impétueuse et limpide firent revenir Begoña et Etxemendi se mit à parler d'elle avec une réprobation pleine d'enthousiasme, de comment elle jetait ses pesetas à la tête du leha, du lenda, bref, du président du gouvernement.

– Le-hen-da-ka-ri, épela Milagros qui se réanimait. Ça signifie premier, donc président. La manifestation était certainement organisée par un mouvement dans lequel j'ai milité, les *Gestoras pro amnistia*. Begoña agit comme j'agirais si j'étais là-bas. L'amnistie est notre unique espoir, même si Antxon s'obstine à juger plus important qu'ils soient reconnus comme des politiques et plus comme des malfaiteurs. Ça va faire dix ans, cette année, que les Gestoras existent et pour marquer l'anniversaire, tenter de rompre le cercle de silence qui nous entoure, elles vont organiser deux journées à la fin du mois, à Saint-Sébastien, avec des étrangers. Parce que ce que nous disons nous sur la répression que nous subissons, sur les tortures physiques ou psychologiques qu'on nous inflige, est entaché de mensonge. Personne ne veut nous croire (elle disait nous maintenant, ne lâchait plus le nous), on nous traite de fous, de menteurs et de fous, mais si des gens venus d'ailleurs, médecins, avocats – pourvu qu'ils ne soient pas basques –, confirment que les droits de l'homme sont violés en Euskadi, alors peut-être. Tu n'imagines pas le degré de désinformation en ce qui nous concerne, tiens, en juin dernier ont eu lieu les élections au Parlement européen. Notre parti, Herri Batasuna, a eu un député élu : Txema Montero. Tu penses bien qu'ici, à Baigorri, la patrie de Bidart, on suit de près les choses. Français ou réfugiés on était tous devant la télé le soir à 20 heures pour voir si elle allait enfin parler de nous. Ça n'a pas manqué, elle en a parlé, une speakerine très connue en France, tu sais ce qu'elle a dit? « M. Henri Batasuna du mouvement Txema Montero a été élu au Parlement européen. » Pour n'importe quel autre pays ou tribu on se serait renseigné, non? Mais nous on n'intéresse personne à part les linguistes... à part Noam Chomsky qui vient d'épouser une Basque! Il est loin le temps où des gens comme Sartre attiraient les yeux du monde sur ce qui se passait à Burgos. Mort et archi-mort!

– Avec la meilleure volonté du monde, interrompit vivement son interlocuteur, les choses ne sont pas comparables. Le procès de Burgos a eu lieu sous un régime de dictature avec, au bout, le garrot. Bon an mal an vous êtes entrés dans la démocratie.

– Tu as des preuves de ce que tu avances ou tu répètes ce que tu as entendu dire? lança-t-elle comme une gifle. On nous torture encore et on nous tue facilement.

– De votre côté vous ne vous gênez pas non plus.

Il la vit sur le point de bondir et de le dévorer. Au lieu de ça, méprisante, elle tendit la main :

– Ça ne sert à rien de se disputer, tu viens de loin, tu ne sais rien. Pardon de te quitter mais je dois rentrer, mon fils m'attend.

– Et la lettre?

– Quelle lettre?

– La lettre à Antxon!

Il allait voir Antxon? Un air d'incrédulité joyeuse recouvrit sa froideur. Pendant qu'il expliquait la bonne idée des deux amies, de fauve elle redevenait femme, puis jeune fille, se demandant visiblement comment avoir le temps d'écrire une longue longue lettre qui n'en finirait pas d'être lue. Elle trouva. Par un ami elle ferait déposer la lettre à l'hôtel d'Inglaterra avant vendredi midi. Du coup elle embrassa le futur porteur de pli et, par la fenêtre de sa deux-chevaux, agita longuement la main.

Sur le chemin du retour, il faisait nuit, Etxemendi établit des concordances entre son rendez-vous avec Ramone à la fin du mois et le dixième anniversaire des Gestoras. Pure coïncidence? Ensuite entre Milagros et Begoña. La ressemblance évoquée par l'amie Arantxa ne sautait pas aux yeux mais après tout, se disait-il, je l'ai vue tendue, malheureuse, agitée. Quand elle était heureuse, avec Antxon, elle ressemblait peut-être à Begoña.

7

En même temps que la clef de la chambre, le portier de l'hôtel remit à Etxemendi une lettre de France. Il s'y attendait si peu mais alors si peu que son cœur accéléra. En vain. L'écriture arrondie bleu roi n'était pas celle de Ramone. Reste que deux émotions contradictoires s'entrechoquèrent, la douce et la salée, et quand il eut parcouru la lettre une première fois dans l'ascenseur, ce fut un véritable mascaret, il monta et redescendit trois fois tant ces révélations le bousculaient.

Paris, samedi 10 octobre

Mon cher Julen (tu as adopté, je parie, ce prénom)

Line suggérait que je te fasse part de mes découvertes par téléphone mais je préfère de loin t'écrire. J'ai horreur du téléphone. Le téléphone pour les choses sérieuses me paraît de la barbarie.

Je me suis dit après ton départ que je t'aimais bien. Autant te le prouver : à la sortie du lycée hier (où le petit souffre-douleur dont je t'ai parlé est arrivé l'arcade sourcilière fendue : ma décision est prise, je convoque les parents) je me suis rendu à l'adresse qui se trouvait au dos de l'enveloppe que nous avons reçue (*nous*, sois sans inquiétude, purement immobilier). Il s'agit d'un des plus anciens quartiers de Paris, pas mal retapé ces dernières années, mais je vais sauter ces considérations, traverser sans un mot une place sublime pour arriver le plus rapidement possible au pied de l'immeuble qui t'intéresse. Aux pieds, devrais-je dire, car il a deux entrées, chacune dans une rue différente. Celle indiquée étant fermée (pour cause de travaux apparemment) je suis allé à l'autre. Autour d'une solide porte cochère se trouvaient apposées quelques plaques indiquant, selon l'usage, non les simples particuliers mais ceux qui exercent à cette adresse leur profession : cabinets, études etc. Ainsi ai-je pu voir gravé sur une plaque de cuivre :

Docteur R. Alphand
maladies infectieuses et tropicales
consultation : lun. mer. ven. 16-20 h

Le neutre pouvant nous jouer, à l'instar du e muet, des tours (le *nous,* ici, est fraternel) j'ai poussé la porte cochère pour tenter d'en savoir davantage. Au bout d'une voûte assez longue qui débouche sur une cour, signalée par un parterre de plantes en pot, se trouvait une loge. Mais les concierges en France sont toujours absentes (à l'exception de la mienne, qui épie, et s'est déclarée choquée en apprenant que « le grand monsieur » qui avait habité là quelques jours avait été le mari de ma femme !). En lieu et place, donc, de la concierge était paresseusement affiché un petit plan des escaliers avec les étages et les noms correspondants. J'y ai lu deux fois celui d'Alphand. Une première fois à l'entresol : Docteur R. Alphand (il s'agit sans doute du cabinet médical), une autre, escalier B, au fond de la cour (j'y ai jeté un coup d'œil : plus parc que parking, plus d'arbres que de voitures, ce qui est bien), 5e – et dernier – étage : M. et Mme S. Alphand. Dont il me paraît pouvoir déduire qu'elle est mariée.

De retour à la maison j'ai sonné chez mon voisin de palier, ophtalmologue à la retraite, afin de consulter le Rosenwald qui est le bréviaire de la profession médicale. J'y ai trouvé les indications suivantes que je te recopie :

ALPHAND (Ramone) : AIHP. EX. Chef Clinique. Path exot. Hôp. Cl.-Bernard, 10, av. Pte Aubervilliers, 75019

Aujourd'hui même en début d'après-midi je suis allé avenue de la Porte-d'Aubervilliers et me suis présenté à l'accueil dudit hôpital. A la question : Comment pourrais-je entrer en contact avec le docteur Alphand ? il fut répondu *(sic)* : service des maladies infectieuses ou Comede ? – Plaît-il ? – Service des maladies infectieuses ou médecine des exilés ? A tout hasard j'ai opté pour la médecine des exilés et me suis retrouvé dans le bureau d'une assistante sociale démunie d'attributs féminins à l'exception de la volubilité qui a absolument tenu à me faire un cours sur le COmité MEDical pour les Exilés (COMEDE).

Cet estimable organisme est le seul dans la région parisienne à prendre en charge la santé des exilés, dépourvus pour la plupart de couverture sociale. Et ce, sans discrimination de race, de nationalité, de religion ou d'opinion politique. Il accueille chaque jour des dizaines de patients et la doctoresse Alphand *(sic)* fait partie de l'équipe médicale. Je passe sur le reste (problématique de l'exil, compétence du service social etc.) car cela ne t'apportera rien de plus et que j'ai trente-huit copies de seconde B à corriger d'ici lundi.

Je fais pour ton enquête plus difficile que la mienne tous mes vœux. Tiens-nous au courant et ne désespère pas s'il te plaît du fait que R. soit mariée. Une grande part de l'activité amoureuse de la planète (du moins en Occident) consiste à se démarier pour se remarier. Comment, s'il en était autrement, serais-je devenu, moi, l'heureux mari de ta femme?

Joseph

8

Tous les vendredis (et parfois le jeudi) entre vingt heures et vingt-deux heures partent les autobus en direction des prisons. Ils partent de Bilbao et de Saint-Sébastien, s'arrêtent sur le chemin à chaque bourg ou village pour prendre les familles, jusqu'à Vitoria où montent les derniers. Ils roulent ensuite sans arrêt jusque vers quatre heures du matin, heure à laquelle on arrive à l'étape d'un bar hôtellerie ouvert toute la nuit. Et c'est là, à 100 km environ de Madrid qu'on change d'autocar selon la prison où l'on va. Arantxa insista au téléphone sur la longueur, la lenteur, le froid, l'inconfort du voyage, sur l'attente une fois arrivés à Herrera de la Mancha, comme pour décourager Etxemendi de les accompagner. Enhardi par le tourment qu'il éprouvait de l'époux habitant avec Ramone près du ciel, Etxemendi déclara qu'il avait au moins deux raisons d'y aller, 1) Baserri Eder que son frère et lui, désireux d'obéir le plus fidèlement possible aux dernières volontés de leur oncle, destinaient à Antxon, et 2) une lettre qu'il avait été chargé par Milagros de lui remettre en mains propres. Suivit un silence. Alors, fit bravement Arantxa, je vais vous expliquer où vous pouvez prendre l'autocar et on vous y retrouvera, Begoña et moi. Mais comme il éprouvait de l'appréhension de monter seul à Saint-Sébastien, sans famille, en étranger, il préféra partir avec elles de Mondragón.

Dans son sac de voyage il mit un thermos plein de café, sa trousse de toilette – trouverait-il seulement un endroit où se raser? il voulait être impeccable pour se présenter devant Antxon –, le sac en plastique Gauloises bleues plein de Gauloises bleues, remis par l'ami de Milagros, entourées d'un tricot à grosses mailles et fermeture éclair du même bleu tricoté à la main. La lettre, il l'avait dans la poche de son veston. Paré. Sauf qu'au dernier moment, pratiquement à la sortie de Saint-Sébastien, il dut faire demi-tour : il avait laissé son passeport dans sa chambre. Arantxa avait tellement insisté sur les contrôles que sa seule carte d'identité lui paraissait brusquement insuffisante.

En cette nuit d'octobre, la population du car était presque exclusivement féminine. Les enfants ayant cours le samedi, les hommes usine ou marché, c'étaient les femmes qui voyageaient vers les maris, les fils, les frères. Le grand Etxemendi les intrigua. Hoin haundia da, nonbait zerbait kendu behar zaio, dit une vieille emmitouflée en pointant vers lui sa mitaine. Les premières rangées se mirent à rire. Il n'entend pas l'euskara, lança Begoña à la cantonade, et à son protégé : Elle dit que tu es si grand qu'il va falloir couper ce qui dépasse.

La présence de Begoña qu'on ne voyait qu'un samedi sur trois, à cause de l'école, réjouissait la nuit des voyageuses. Sa voix comme un clairon s'en alla quérir des nouvelles des uns et des autres puis tout soudain revint chuchotis à l'oreille de son voisin y glisser sa confidence : sa mère n'était plus jalouse de Milagros depuis belle lurette, qu'il ne s'inquiète pas au sujet de la lettre. Milagros rendait visite le plus souvent possible mais vu ce qui se passait actuellement en France avec les réfugiés, vu les poursuites, la rafle du début du mois, il était plus prudent qu'elle demeurât tranquille quelque temps dans son coin.

Quand on apprit que le nouveau arrivait du Mexique via Irissarry il y eut un sentiment de gloire général, il gagna la sympathie de toutes. Alors vous connaissez certainement les Belaustegigoitia! s'exclama une blonde. Si je les connais, vous plaisantez, ma parole, les plus fameux joueurs de l'Athletic Club de Bilbao, quand on aime le foot, on connaît! Eh bien le patron de l'usine où travaillait mon mari – l'usine Izar à Amorabieta – est un des frères, poursuivait la blonde qui agaçait Begoña. Ce Belaustegigoitia est l'ancien beau-père de Julen de Madariaga.

Pardon? fit Julen dépassé par ce Julen-là. Un pinçon de Begoña le fit taire. Laisse tomber, chuchota-t-elle, c'est un fondateur, un des chefs historiques.

Petit à petit les conversations recommencèrent en basque et, après Vitoria, quand les derniers furent montés, l'autobus prit son rythme de croisière sur l'autoroute. Celles qui faisaient le long trajet monotone depuis des semaines, des mois, des années, s'endormirent et, au fond de l'autobus, autour du nouveau qui ne savait rien de rien entre ses deux marraines, les bavardes, les éveillées, les insomniaques se regroupèrent ainsi qu'un jeune homme qui allait voir son ami à Carabanchel.

C'est ainsi qu'à plusieurs voix Etxemendi entendit l'histoire de la première arrestation d'Antxon, et lorsque le sommeil, de son éteignoir, les eut l'une après l'autre étouffées, il demeura seul éveillé dans le noir avec les faits. Des morceaux de réel véhément, mal taillés.

Lieu : Gernika. Un appartement à Gernika, calle Señorio de Vizcaya, Seigneurie de Biscaye, où habite un couple, Iñaki et Blanki, au 47, premier étage gauche. Important pour la suite ce premier étage. On est au printemps, en mai, à l'aube. Ils dorment. Des forces de la Garde civile investissent l'immeuble, veulent pénétrer dans cet appartement. Pourquoi cet appartement précisément, à l'aube? Les réponses fusent : Iñaki et Blanki sont des amis. Des amis de qui? Des amis. Ils hébergent mon père, dit Begoña, mon petit-neveu, dit une grand-mère. Qui, évidemment, sont armés. Évidemment. « Normalement armés ». La photo parue dans la presse d'un stock d'armes qui aurait été trouvé au domicile d'Iñaki est un faux. Un mensonge. Iñaki et Blanki ne cachaient pas des armes mais des amis. Armés. Iñaki ouvre précipitamment la fenêtre, les volets. Il dit tout de suite la vérité : qu'il y a chez lui deux amis. Mais les txakurrak ne veulent rien entendre, ils tirent. Mort d'Iñaki. Blanki sort en criant, paraît à la porte en criant, elle appelle à l'aide. Un sergent tire. Mort de Blanki. Entre-temps les deux qui avaient dormi là tentent de s'échapper par la fenêtre. Ils sautent. Surpris par le lieutenant qui commande la *Bienméritante,* l'un des deux tire. Mort du lieutenant. Les deux s'enfuient en courant par des directions opposées. L'un est Jesus Maria, l'autre Antxon. Les deux d'Arrasate-Mondragón, deux qui sont comme des frères. Jesus Maria fuit par la campagne, traverse à la nage la rivière – celle-là même qui a servi d'axe aux bombardiers allemands du 17 avril 37 – et il demande de l'aide à la maison Mendieta. On lui ouvre, on lui donne des vêtements secs. Mais comme les txakurrak sont en train d'arriver Jesus se cache dans le poulailler. Les policiers torturent les gens de la famille pour savoir où est passé le fugitif. En entendant les cris et les menaces de mort Jesus sort du poulailler et se livre.

Mais ils les préfèrent morts que vivants. Une rafale de mitraillette reçoit sa reddition. Mort de Jesus. C'est le quatrième, le dernier pour cette fois? Les gardes civils mettent le corps dans une Land Rover mais comme il est grand et la Land Rover courte, le cadavre ne tient pas dedans. Alors ils réclament une hache pour lui sectionner les jambes. Si, si, insiste la vieille parente de Jesus, vous pensez bien qu'on a su. Ils n'ont pas mis leur menace à exécution mais ils ont demandé la hache simplement pour terroriser. Ce sont eux qui terrorisent, c'est leur travail. Antxon, lui, fuit par-derrière la fabrique d'armes Unzueta et se fait prendre quelques jours après. Chef d'inculpation : avoir fait partie du commando qui a exécuté un autre lieutenant de la Garde civile, un vrai bourreau celui-là. On soupçonnait Iñaki et Blanki d'avoir hébergé ce commando, vrai ou faux? Tout le monde hésite, personne n'en sait rien. Ce qu'on peut dire c'est que l'alcade accouru au domicile a constaté qu'il n'y avait pas d'armes, pas de « stock d'armes », et entendu de la bouche des voisins qu'Iñaki avait ouvert de suite et dit la vérité, Blanki appelé à l'aide. Il a tout su l'alcade même les tortures infligées à ceux de la maison Mendieta mais il s'est tu, il a laissé la presse publier ce qu'elle voulait, la version officielle, il n'a pas démenti, il a eu peur. Gernika n'a pas pardonné, Gernika s'est vengé, l'alcade a été tué par ETA. Et de cinq.

Ainsi le bras justicier au nom de, cet *au nom de* au nom de quoi les hommes à la vie brève tuent et meurent plus vite, reconduisait-il le cycle des violences depuis deux depuis trois depuis combien de générations, pensait Etxemendi paralysé de barbarie, la douce tête de Begoña sur son épaule comme sur un oreiller. La violence remplissait de femmes cet autobus, lançait chaque semaine sur les routes d'Espagne, vers les prisons les plus éloignées possible des lieux du délit, ces mères, ces épouses, ces filles farouches que rien, rien, ne parviendrait à calmer puisque l'amnistie même du changement de régime n'y avait rien fait. Qu'Antxon, ainsi que la plupart, avait recommencé à se battre comme si c'était la guerre. Pour un statut. Un statut? Etxemendi cherchait l'offense, l'humiliation originelle qu'il y a à la source de ces rébellions de par le monde que les États et l'opinion publique dénomment aussi terrorisme. Pour les confondre, dirait-on, les noyer, plus facilement avec les crimes de droit commun et ne plus y penser. Le vieux monde minoritaire des sans gouvernement cognait dans la tête d'Etxemendi, cognait aux vitres du car monotone comme la litanie des « morts pour ». Mains d'Indiens réduits, parqués dans les réserves dont on sort en marchant. Mains brunes pleines de pierres des Palestiniens sans terre. Mains tachées de sang, tachées de son, de l'IRA. Comment dormir!

Il était quatre heures et demie du matin quand les voyageurs arrivèrent à l'étape où on change d'autocar selon la prison où on va : Alcalá, Carabanchel, Herrera de la Mancha, Puerto Santa María, la plus éloignée, la plus proche de l'Afrique. A sa nouvelle place, près d'Arantxa qui étendit son châle sur ses genoux, Etxemendi tomba endormi.

– Dépêche-toi, disait Begoña, on est arrivé. Il ne fait pas encore jour mais on est déjà en retard. Il faut être à huit heures pile aux portes. On a juste le temps de se changer.

Il ne comprit cette phrase qu'un quart d'heure plus tard. Lorsque assis seul, abandonné par toutes les femmes, dans un endroit aux ampoules tristes qui tenait du réfectoire du gîte et du café, il vit, du fond de la salle, surgir la blonde qui s'y connaissait en football. Elle avançait en bas sombres sur de hauts talons, le corsage plein de fleurs qui palpitaient. Ses lèvres de carmin, ses yeux de mascara brillaient. Après elle, de la même porte, une auburn aux paupières violettes (celle-là même qui lui avait paru si moche) moulée dans une robe marron-rouge révélait l'étonnant secret des laides, qu'elles sont des belles cachées. Puis Arantxa qui, ayant relevé son chignon d'un étage, découvrait l'attache d'un col et un début d'épaules robustes mais magnifiques. Sa robe claire aux plis clairs faisait ressortir le hâle du visage. Et puis Begoña, entrée là en garçon – jean et baskets – en ressortit jeune fille fuchsia, pourpre, à calice orangé, finement duveteuse, tout enflammée de cette roseur des brunes qui le troublait si fort. Une à une elles sortaient des toilettes comme des loges d'un théâtre, prêtes à faire leur entrée radieuse sur le plateau carcéral. Derrière la porte elles s'étaient douchées, maquillées, peignées, métamorphosées pour offrir au regard qu'elles aimaient la plus belle idée qui soit : l'image de ce qui les attendait quand ils rentreraient à la maison.

Etxemendi se précipita à l'autre porte, celle des messieurs, pour se raser.

Les bâtiments de la première prison de haute sécurité d'Espagne, coupés de toute agglomération, s'élèvent en rase campagne sans campagne. Mauvaise herbe et poteaux électriques. Au fur et à mesure des divers contrôles qui ponctuent l'espace pénitentiaire, des ouvertures-fermetures mécaniques et coulissantes des portes, couloirs, guichets, ordres aboyés par les gardiens des portes, silences hostiles, au fur et à mesure de ces heures d'attente qui donnent au visiteur le sentiment d'être aussi enfermé, au début de façon provisoire, après deux ou trois heures en état d'arrestation, coupable de surcroît, sentiment que renforce le retrait des papiers d'identité puisqu'on n'en a plus, qu'on vous les a retirés, que dans quelques minutes on sera confondu avec celui qu'on vient visiter, l'esprit d'Etxemendi se recroquevilla et toute sa personne. Il se fit tout petit dans son grand corps comme sous une carapace ne sortant plus que de temps à autre la tête vers le cadran. Neuf heures. Dix heures. Onze heures. Quand son tour arriva il se déplia engourdi et suivit mécaniquement son groupe sans plus se souvenir de ce qu'il croyait s'être préparé à dire.

– Julen!

– Antxon!

– Dis un peu dis un peu, Julen, comment tu as fait pour grandir autant alors que tu détestais la soupe?

C'était son copain d'autrefois. Avec ses fines oreilles de lièvre, ses yeux toujours étonnamment ouverts même quand il dormait, alertes, vibrants, rapides, toujours en train de courir, et le petit trou entre les incisives d'où il sifflait si magnifiquement, et la petite cicatrice à la lèvre supérieure qui faisait ombre du jour où il était tombé de la branche du marronnier – non du cèdre – non du marronnier – non, souviens-toi, du cèdre bleu, les branches du marronnier étaient inaccessibles. Oh ils n'avaient pas que ça à se dire mais ils se répétaient avec un bonheur incompressible leurs noms, Antxon, Julen, qui n'avaient pas changé. Envers et contre l'histoire, l'enfance roulait entre eux un flot magnifique et en s'y retrouvant ils se cherchaient. Amatxi, Aitatxi, le retour des brebis, la messe du dimanche, les sermons furieux, l'échelle aux cerises, le char à bœufs, les départs pour Biarritz, la grande villa, la dame, le panier, le parasol. Murs de prison et femmes d'aujourd'hui tout s'éloignait vertigineusement ravi par un flot bleu de mémoire.

Antxon estimait Julen, le jaugeait avec contentement, de sa force physique déduisant le courage, de sa présence ici des convictions. Julen admirait qu'Antxon avec sa tête en moins parut si grand quand il était si petit. Ses cheveux coupés ras dégageaient encore ses longues oreilles. Il avait toujours ce port de tête en l'air, agile, craintif, son air de lièvre disait la dame, car le lièvre se refuse à creuser un terrier. Aussi doit-il écouter beaucoup et au moindre bruit il détale, préférant de loin habiter à la surface de la terre et vivre dangereusement que se creuser un abri. Homme courant avec ses idées courant comme un lièvre.

– Tu n'as pas changé.

– Toi non plus.

Le temps de visite était terminé. Etxemendi sursauta affolé. L'heure s'était ruée en avant bien plus vite qu'eux en arrière. De Baserri Eder ils ne s'étaient rien dit.

– Arantxa m'en a touché un mot, rassura Antxon. C'est oui. Je pense à mes enfants, tu comprends, car moi... Je te remercie du fond du cœur ainsi que ton frère. Dis-le à ton frère et reviens, Julen, écris.

Ils se prirent les mains avec force puis entiers s'embrassèrent. Heureusement que Julen s'embarrassa les pieds dans le sac en plastique fouillé au contrôle qui contenait les cadeaux de Milagros : il avait failli oublier. Il le remit précipitamment avec la lettre.

9

Ayant garé à proximité de la banque la Renault qu'il devait rendre, ce mardi, à son propriétaire, Etxemendi fit par réflexe un calcul. Il confronta le nombre de kilomètres inscrit au tableau de bord à celui qu'il y avait vu la première fois où il était monté dans cette voiture et la différence lui fut franchement agréable. Il avait quand même parcouru des milliers de kilomètres. Le constat valait pour d'autres distances puisqu'il avait accompli quelques pas décisifs. Aujourd'hui c'est lui qui avait beaucoup à dire à Berroeta, lui qui parlerait, Berroeta qui écouterait.

Avec ses vigiles armés, ses guichets pare-balles, ses grilles à ouverture électronique devant les escaliers qui plongent vers les coffre-forts, ses caméras espionnes, la banque lui fit l'effet d'un établissement carcéral. Quel criminel voulait-on ainsi empêcher de s'enfuir sinon l'argent? La Titanide enchaînée n'était que la peseta! Et tout le système de haute sécurité édifié autour, dans ce luxe hypermarmoréen destiné aux possédants, avait, par contraste, quelque chose de répugnant.

A peine se fut-il avancé sur le marbre qu'Etxemendi crut respirer un air de mutinerie. Mais non, il se trompait, personne n'avait haut les mains, il ne s'agissait pas d'un hold-up. Un désastre plutôt. Dans les cabines téléphoniques les gens sanglotaient. Une partie du personnel avait quitté ses cages de protection et s'exposait dans le hall à l'assaut fataliste, sans vindicte, d'une population gémissante. D'autres demeuraient à leur place, stoïques ou frappés d'idiotie, sous l'avalanche de questions éperdues. Les huissiers étaient introuvables. Comme il connaissait le chemin Etxemendi monta sans introduction au premier.

A l'étage la circulation plus fluide était plus rapide. Les portes refermées d'habitude sur les secrets bancaires battaient grandes ouvertes comme si tout secret avait crevé d'un coup. Les machines s'affairaient. Les téléfax crachaient des fax jusqu'à terre sans désemparer. Les minitels s'engorgeaient. Affalé contre un écran, langue pendante, un type paraissait mort. Un autre en sale état, jambes écartées, sur un fauteuil de cuir.

Pareil au condamné sur la chaise électrique, Berroeta, ligoté sur son fauteuil par des fils appartenant à deux appareils distincts, un écouteur à chaque oreille, passait du bleu pâle au rouge. Il donna en direction d'Etxemendi un vigoureux coup de menton qui pouvait aussi bien signifier « foutez le camp, ce n'est pas le moment » que « content de vous voir dans ce foutu bordel » et continua en anglais à gauche, en castillan à droite. Même Mademoiselle Maïté avait perdu son quant-à-soi, posée de traviole sur un tabouret, si tordue qu'elle découvrait les bretelles de son soutien-gorge et jusqu'à la rampe où son collant forcément s'arrêtait de filer. Ils paraissaient tous au bord de la crise de nerfs.

La crise de nerfs, en fait, était mondiale. De Wall Street à Tokyo en passant par Bilbao, une à une, les Bourses de l'Occident s'effondraient. On était le lendemain du plus grand krach des valeurs cotées jamais connu depuis 1929. Le mardi du lundi noir. Historique, s'écria Berroeta pris d'un regain de vitalité en lâchant la ligne espagnole, la Bourse de Bilbao enregistre une baisse jamais vue, historique, s'écria-t-il, comme si ça justifiait le débraillé général. Désolé, mon cher, ce n'est pas un jour à aller manger ensemble sur le port de la morue à la biscaïenne. Revenez après la tempête. Derrière lui la tenue du soleil d'octobre, impeccable, contredisait le propos. Demain, après-demain, quand vous voudrez mais pas aujourd'hui. Nous courons au désastre.

Un peu dépité, Etxemendi rengaina ce qu'il avait à dire puis se ravisa. L'ombre d'une question se profila sur ses lèvres. Berroeta la renvoya d'un coup de menton qui ne prêtait plus à confusion, à quoi Etxemendi répondit de façon incongrue par un doux bye bye. Le banquier dut penser qu'il était fou. Bien moins qu'en réalité puisque la seule répercussion du krach mondial sur la personne d'Etxemendi était un : je la garde, il n'aura certainement pas besoin de sa voiture aujourd'hui. Dehors il retrouva le cours normal des choses qui devait le conduire, le jour suivant, chez l'avocat d'Antxon Arrieta.

Maître Beltza appartenait à un groupe d'avocats qui se faisait un point d'honneur de défendre les prisonniers basques suivant la ligne tracée par Maître Castells, défenseur habituel des politiques depuis le procès de Burgos. S'il y avait un point sur lequel l'épouse légitime et la concubine, pour parler en termes légaux, s'accordaient, c'était sur le choix de ce défenseur. Etxemendi s'abandonna sans méfiance au choix de ses marraines et se sentit tout de suite plus à l'aise dans l'étroit bureau encombré de dossiers humains que sur les grands espaces de marbre nickel.

Plus jeune que lui, plus sec, plus fier de la pure lame de son nez qui affilait l'air en début de chaque période, le jeune avocat était très agité, lui aussi, mais par des idées. Une essentiellement : que la violence de l'organisation armée à laquelle appartenait Arrieta ne s'expliquait qu'en fonction de la réinstitutionnalisation de la violence d'État, au moyen d'une législation antiterroriste extrêmement inquiétante pour l'avenir et l'esprit des lois. « Pour que le citoyen choisisse son camp, rappelait-il, et que celui-ci soit le camp de l'État, il faut que l'État utilise des méthodes qui ne prêtent à aucune confusion et respectent totalement la loi. » Or, depuis le référendum de 1978 et l'approbation de la Constitution par l'ensemble du pays, à l'exception justement des trois provinces – Bizkaia, Gipuzkoa et Araba, qui avaient dit non à plus de 60 % –, les lois d'exception n'avaient cessé de les punir. Elles avaient plu en août et en décembre 1978, en 1979, en 1980, en 1981. Avaient suivi la mise en place du plan ZEN – Zone Spéciale Nord – par le gouvernement socialiste, le Décalogue du Parlement basque pour extirper les racines du mal, etc. Mais ces racines, plaidait Beltza, sont les racines du peuple même. Techniquement impossibles à différencier. Pas une famille qui, de près ou de loin, n'ait eu parmi les siens un mort, un blessé, un exilé. Si on emplissait d'avions militaires le ciel d'Euskadi, d'autant d'avions qu'il est nécessaire pour empêcher le soleil de filtrer ou la pluie de tomber, on ne parviendrait même pas, de là-haut, à repérer les militants et à les isoler du reste. Si la Marine de guerre au grand complet croisait dans les eaux territoriales basques elle ne parviendrait pas non plus à distinguer lequel, parmi les baigneurs sur les plages, les pêcheurs sur les bateaux de pêche, est un militant, lequel un sympathisant. Et si toutes les troupes de l'Infanterie se mobilisaient sur terre elles n'y réussiraient pas davantage. Ni l'aviation ni la marine ni l'infanterie ne sont préparées ou destinées à ça!

Lui aussi était rendu nerveux par les circonstances mais pas les mêmes, et par les chiffres mais d'autres chiffres. Il disait : arrêter le même jour soixante personnes à Estella, Navarre, équivaut à arrêter vingt-cinq mille personnes à Madrid. Lui aussi avait l'adjectif « historique » à la bouche mais l'apposait à la chute d'autres poids et mesures. Quand un ministre de la Justice responsable de deux morts et de deux cents blessés dont certains par balles, lors d'une Saint-Firmin tragique, se justifiait en déclarant : nous (entendez par ce nous l'État, les forces de l'ordre) commettons des erreurs, eux (entendez ETA) commettent des crimes, c'est qu'il y a quelque chose de pourri dans la conscience même du royaume. Distinguo périlleux que ce « nous commettons des erreurs, eux commettent des crimes »!

– A propos de crimes, enchaîna Etxemendi, je voudrais bien savoir si l'organisation dont Antxon fait partie a des liens avec le milieu.

Du haut de sa conscience morale l'avocat lui balança un peu commode regard.

– Mon ex-femme, poursuivit Etxemendi imperturbable, m'a raconté qu'un des témoins de l'assassinat d'un garçon dont elle avait lu un bouquin ou qu'elle avait rencontré, je ne sais plus, un certain Goldman dont l'assassinat a fait beaucoup de bruit il y a quelques années à Paris, bref, qu'un témoin avait entendu un des tueurs en fuite crier en espagnol : « ¡ Por aquí, hombres! » D'où l'enquête s'était orientée un temps vers la piste basque. Car ce Pierrot Goldman aurait proposé à des militants d'ETA de leur procurer des armes

– Monsieur Goldman se vantait – coupa l'avocat, laissant tomber, du coup, la cendre de sa cigarette à côté du cendrier.

– de leur procurer des armes, reprit l'entêté, pour se défendre des barbouzes espagnols via un caïd marseillais dont le nom sonne un peu comme Zapata, Zata, Zapa, vous voyez de qui je parle?

Non, oui, bon, Zampa, Gaëtan Zampa, mais non cette piste n'avait rien donné. En revanche... Etxemendi haussa les épaules. C'était toujours comme ça. Pas de réponse mais parade et bifurcation. En revanche, donc, la question se posait à l'envers. Avant l'affaire Goldman : l'attentat contre Etxabe. Etxabe était le chef avant Txomin. Il avait reçu onze balles à Saint-Jean-de-Luz. Sa femme, tuée sur le coup. Sur son lit d'hôpital il avait déclaré s'être méfié de deux types qui le suivaient et qui avaient l'accent de Marseille. Comment savoir si ce Zampa, qui avait la haute main sur le milieu depuis qu'il avait tué Mémé Guérini, trempait ou non dans les polices parallèles ou des actions type attentat de Saint-Jean-de-Luz? Et surtout qui était derrière, qui payait.

– Mais les armes, recommença patiemment Etxemendi. Antxon, par exemple, où se procurait-il les armes?

Du visage de Maître Beltza, fermé comme une porte de prison, s'échappa quelque grande vérité sur les saletés de la guerre. Puis, en guise de conclusion :

– Qu'un type qui tue pour de l'argent soit fasciné par quelqu'un qui tue pour une cause, c'est possible. L'inverse, non.

Alors Etxemendi éclata.

– Quelle cause à la fin! Votre cause c'est de la préhistoire. Le monde n'appartient plus aux provinces. Dans l'engrenage de la violence il n'y a plus ni bien ni mal, convenez-en bordel de... Qu'on les appelle « crimes » ou « erreurs » c'est du pareil au même. Si la guerre, comme vous dites, ne frappait pas aveuglément et si les revendications n'étaient pas exorbitantes, les négociations aboutiraient.

– Voulez-vous que nous refassions le monde avec des si? proposa aimablement l'avocat comme si l'énervement de son vis-à-vis calmait le sien propre, eh bien allons-y. Si le peuple de Madrid ne s'était pas soulevé contre l'invasion française, le 2 mai 1808, les forces de Murat n'auraient pas fusillé les héroïques défenseurs qui inspirèrent Goya. Si le FLN n'avait pas existé, la 10e Division de parachutistes de l'armée française n'aurait pas massacré la population d'Alger. Si les Basques avaient accepté l'ultimatum du général Mola, la légion Condor n'aurait pas bombardé Gernika.

– Et s'il n'y avait pas de terroristes, enchaîna précipitamment Etxemendi, il n'y aurait pas de lois antiterroristes.

– Je ne vous le fais pas dire. C'est le raisonnement même du gouvernement espagnol.

Conscient d'avoir marqué un point, le jeune avocat fit une pause et chercha le dossier d'Antxon Arrieta.

La deuxième arrestation, en juin 1984, était liée à une situation extrêmement tendue avec la France. De l'autre côté de la frontière se multipliaient les attentats des groupes parapoliciers – le plus fameux étant le GAL téléguidé, c'est confirmé aujourd'hui, par des fonctionnaires de la police espagnole. Les exécutions extrajudiciaires sont un moyen comme un autre de régler les problèmes, n'est-ce pas? Par ailleurs, comme l'implantation du capital français allait bon train, l'organisation multipliait les attentats contre le matériel français, banques, garages, magasins de meubles, etc. Le ministère de l'Intérieur ayant eu vent d'un commando qui préparait un coup dans le Gipuzkoa déclencha, à Hernani, une grosse opération policière. Tandis que le même jour, de l'autre côté, le GAL agissait : à Biarritz, à l'angle de la rue Gambetta et de l'avenue Carnot, devant le bar du Haou que fréquentaient les réfugiés, une charge déposée sur une Kawasaki explosa, un peu avant dix-huit heures, heure où le bar était plein. Un des deux visés qui se mirent à flamber, Revilla, avait déjà fait l'objet d'un attentat dans sa voiture. Sa femme, cherchant à protéger leur petite fille, avait eu un poumon perforé. Or à l'époque du premier attentat on le considérait déjà comme retiré des affaires. Notez que lorsqu'on dit ça personne ne veut vous croire. Il suffit que quelqu'un soit arrêté, ou tué, pour que les communiqués officiels lui attribuent la fonction de chef. Curieux n'est-ce pas? A croire que l'organisation ne compte que des dirigeants.

Le même jour, donc, les forces de l'ordre, à Hernani, firent le siège d'un immeuble, rue Navarra, où se cachaient quatre clandestins venus de France, dont Arrieta. Antxon Arrieta s'était réfugié au Nord parce que les policiers, depuis l'amnistie, l'avaient à l'œil et ne manquaient pas une occasion de le lui faire savoir. Il était devenu l'objet de tracasseries constantes, même dans son travail à la boucherie, sans parler de l'empoisonnement de son chien, un berger des Pyrénées qu'il aimait chèrement. Passons. En admettant qu'il ait fait partie du « commando » dirigé par Jesus Maria Zabarte qui entre parenthèses était aussi d'Arrasate-Mondragón, reste qu'on ne les voulait pas vivants. L'assaut fut meurtrier. Les FOP avaient posé sous le plafond du premier étage du couple qui les hébergeait une mine antichar d'une force démesurée. Quand elle a explosé elle a provoqué un incendie et les deux qui étaient morts pendant l'échange de coups de feu et de grenades qui dura bien trois heures ont été carbonisés. Or les corps, ici, sont sacrés. De plus l'un des deux était d'Hernani même, un type qu'on aimait beaucoup, très joyeux et très bon joueur de pelote. On ne me sortira pas du crâne, répéta l'avocat, qu'on ne les voulait pas vivants. Les choses, dirait-on, commencent à changer. La volonté de négocier prend le pas sur la volonté d'exterminer. A cause de 1992.

Les gens sont fatigués, fit Etxemendi en baissant la tête. Il songeait à la fatigue d'Arantxa, de Milagros, aux compagnes. Fatigués de la mort. Ou de ce qui en tient lieu.

Et tandis qu'à Paris le ministre espagnol de l'Intérieur, rencontrant son homologue français, promettait la disparition d'ETA pour 1992, promettait que ce cauchemar aurait disparu de l'horizon de nos rêves pour 1992, Etxemendi apprenait, tête toujours baissée, la condamnation d'Antxon à trente ans de prison.

10

Ramone porta à ses lèvres une poignée de cerises et sa bouche fut rouge de sang. Etxemendi se réveilla affolé. Une ambulance traversait la ville en criant. Il regarda sa montre, sa montre posée près d'un verre d'eau. Deux heures du matin. Comme l'amour était entouré de choses cruelles ! Et lui, lui, incapable de l'en protéger. Reverrait-il jamais sa chevelure noire sur un drap ? Ou à jamais ? Il prit l'oreiller contre lui. Ramassé en chien de fusil, l'oreiller entre les genoux et le cœur, il se demanda depuis quand Antxon n'avait pas fait l'amour.

Plus avant dans la nuit le tribunal condamna Octobre (le mois) à trente années de prison. Begoña sanglotait. Vu qu'il ne serait libéré qu'à l'aube du trente et un et que son lieu de détention se trouvait à l'autre bout de l'Espagne, proche des présides d'Afrique et le plus éloigné possible de Saint-Sébastien, il n'avait pas le temps matériel d'arriver avant la Toussaint. R. croirait qu'il n'était pas venu, qu'il avait laissé passer l'heure ou qu'il ne l'avait pas attendue.

La voix aiguë de Begoña le tira du cauchemar en lui sonnant les cloches. Elle rentrait en classe dans cinq minutes et téléphonait d'une cabine pour dire qu'il pouvait de temps à autre se manifester même s'il n'avait rien à dire.

D'appeler sans faute ce soir à la maison mais pas trop tard car sa mère prenait l'autobus pour Herrera (la semaine avait déjà fait son tour) et d'annoncer qu'il allait à Bilbo demain. De toute façon il devrait être à Bilbo demain, tout le monde serait à Bilbo demain, sauf elle s'il n'insistait pas suffisamment auprès d'Arantxa pour qu'elle donne sa permission. Dire qu'il comptait absolument sur sa présence à elle, Begoña, qu'il irait au besoin la chercher mais qu'elle pouvait aussi bien prendre le car avec les autres et qu'on se retrouverait là-bas. Elle préciserait où ce soir.

– Que se passe-t-il donc à Bilbao demain? demanda-t-il étourdi par sa volubilité.

– Comment, tu ne sais pas? Mais tu n'es au courant de rien! Renseigne-toi, Julen, achète les journaux. On a enfin l'autorisation de manifester à condition qu'on ne dise pas un mot. Je compte sur toi, promis?

A peine eut-il raccroché que le téléphone sonna de nouveau. Son frère, inquiet d'être sans nouvelles, avait eu son adresse en passant par Line à Paris. C'est une honte, répéta le cadet honteux, es-tu vraiment sûr, Agustín, que je ne t'ai pas parlé depuis tant de jours? Absolument sûr. Je ne m'absente guère de la maison, tu sais, plaisanta avec hauteur l'aîné. A cause du décalage horaire, il avait veillé jusqu'à deux heures du matin pour être sûr de le joindre. Avant qu'il parte en randonnée. Pour une randonnée... reprit Julen, qui brossa vigoureusement le fond du tableau et promit pour les détails – impressions de femmes et paysages – une longue lettre.

– Et celle de Biarritz? demanda Agustín.

Dans un silence transatlantique Julen s'étonna. Toujours étonné par la mémoire de son aîné.

– J'ai rêvé d'elle cette nuit, avoua-t-il enfin avec candeur. Je crois que je rêve d'elle toutes les nuits. Heureusement à la fin du mois, le 30, elle sera ici. J'en aurai le cœur net.

– Et la clef? demanda encore l'autre.

Etxemendi qui croyait avoir pensé à tout avait oublié, complètement oublié la clef du coffre. Par un fait exprès Berroeta appela en suivant. Il partait dans cinq minutes à la banque où il vivait l'enfer – l'enfer? reprit Julen –, le priait de l'excuser pour hier, proposait un rendez-vous lundi, puis plus personne ne téléphona.

Les cauchemars de la nuit avaient laissé leur empreinte. Se regardant nu dans la glace, avant la douche, Etxemendi fut presque déçu de ne trouver sur sa poitrine aucune trace de blessure, morsure ou estafilade. Intact, il était intact en apparence. Alors en se rasant il se coupa.

Après tout ça et le café du matin il fallait agir. Il prit son courage à une main, sur l'écritoire une feuille de papier à lettre à en-tête et se mit à écrire. Il écrivit deux lettres, une brève et une longue. La longue d'une traite mais la brève il la refit trois fois en gardant copie du dernier brouillon.

Donostia-San Sebastián, el 23 de octubre

Avísame, por favor, de la hora y del lugar de tu llegada tan esperada... Las Gestoras pro-amnistia que inauguran, el viernes próximo, sus « Encuentros internacionales sobre la tortura y la represión » me han encargado ser tu chófer. Estoy a tu mando.

Julen Etxemendi

Donostia-Saint-Sébastien, 23 octobre

Préviens-moi, je te prie, de l'heure et du lieu de ton arrivée tant attendue... Les Gestions pour l'amnistie qui inaugurent, vendredi prochain, leurs « Rencontres internationales sur la torture et la répression » m'ont chargé d'être ton chaufffeur. Je suis à tes ordres,

Julen Etxemendi

Il se sentait militairement assez fier de ce « je suis à tes ordres » final, relativement inquiet pour le reste car la lettre était un coup de dés. Suivant la piste Joseph il était allé aux renseignements. Au siège des Gestoras il avait appris que les deux journées, le 30 et le 31, se dérouleraient à l'Université de droit et, consultant la liste des invités étrangers (pour la plupart avocats ou médecins), vérifié que le COMEDE s'y trouvait. Mais en face, à la place du nom désiré, il y avait un point d'interrogation. Son mot qui témoignait d'une quête, d'une enquête, de ce qu'on voudra, s'il se trompait, s'il tombait à côté, était un désastre : il commettait l'erreur de sa vie. Il cacheta, sortit poster sur-le-champ pour éviter tout repentir, puis acheta les journaux, comme disait Begoña, pluriel qui se réduisait au très partisan *Egin* où il apprit, devant une bière, ce qu'il irait faire demain à Bilbao.

Il n'avait pas fallu moins de trois recours et plusieurs semaines pour que HB obtienne de la Deuxième Chambre des contentieux administratifs l'autorisation de convoquer les abertzales, ou patriotes, à manifester demain sous le mot d'ordre ASKATASUNA/LIBERTÉ. Le premier mot d'ordre, NEGOZIAZIOAREN ALDE/POUR LA NÉGOCIATION, avait été rejeté parce qu'il avait couvert, un an auparavant, une démonstration « considérée injurieuse envers la Constitution ». En clair une émeute. De plus, la date choisie paraissait commémorer un attentat contre le gouvernement de la province. On comprend que le gouverneur ait refusé son autorisation. Culottés les patriotes! Ils mettaient en cause l'indépendance du pouvoir judiciaire et, après, ils s'étonnaient que les magistrats rejettent le recours. Le troisième slogan – défense de la liberté au sens large des libertés – avait finalement paru recevable à condition que la marche fût pacifique et se déroulât en silence. Le journaliste avait titré son article : « La Longue Marche devant les tribunaux ».

Et ta sœur ! lui lança Etxemendi indigné. Il ne manque pas d'air celui-là de comparer leurs démarches administratives d'automne à la retraite des soldats de l'Armée rouge. Pendant une année affamés, harcelés, ils ont parcouru au moins dix mille kilomètres à travers les montagnes, les déserts ah ça mais. D'un air martial il entra chez Bilintx qui était sur le point de fermer. Le livre qu'il avait commandé était arrivé mais la couverture provoqua en lui un tel ennui, il éprouva soudain un tel ennui à l'idée de déjeuner en tête à tête avec les coopératives industrielles de Mondragón, qu'il invita le libraire (qui n'était pas au demeurant libraire mais stagiaire) au bistrot d'à côté. Bah, disait le stagiaire-libraire, la Longue Marche c'est une expression consacrée. Je suis sûr que le journal pensait davantage aux Indiens qu'aux Chinois.

– Aux Indiens ?

– Aux Peaux-Rouges, si tu veux, oui. A l'exception de quelques militants qui potassaient dans les années soixante-dix le *Petit Livre rouge* du président Mao et agitaient quelques concepts marxistes-léninistes, nous on s'identifie plus aux Indiens qu'aux Chinois. Dans les années vingt aussi, pendant ce qu'on appelle la révolution bolchevique en Andalousie, les paysans écrivaient sur les murs de leurs fermes « ¡Viva Lenin ! », or ils étaient tous anarchistes, partisans de Bakounine et de Durruti. Nous on aime les Indiens parce qu'ils sont aussi entêtés que nous. On s'identifie à tous les entêtés opprimés et sans gouvernement de la terre.

– Sans gouvernement !

– Parfaitement, reprit-il avec son sourire de traviole. La façon dont ils revendiquent leurs droits nous plaît. Toi, au

Mexique, tu n'étais pas loin, tu as certainement entendu parler de la Piste des traités violés, la Longue Marche sur Washington qui s'est terminée par l'occupation du Bureau des Affaires basques je veux dire des Affaires indiennes ? Et de leur déclaration continue d'indépendance qui faisait la nique au Bicentenaire des États-Unis ? Même leur passé nous raconte un peu notre histoire présente. Avec nos expulsés, nos extradés, nos déportés à l'autre bout du monde et tous nos deuils ça nous va droit au cœur la Piste des Larmes, l'exode des Cherokees et la Longue Marche des Cheyennes du Nord, quand ils se sont enfuis de la réserve où on les avait parqués avec ceux du Sud, qui crevaient de faim pour rejoindre leurs terres du Nord. Tu te souviens du film de John Ford ? Du chef Couteau je ne sais plus quoi et de Petit Loup ? C'était l'automne aussi quand ils sont partis, à trois cents environ. Ils ont parcouru en six semaines près de mille kilomètres.

Et d'un bond par-dessus l'océan retourné vite dans sa province, il raconta l'histoire d'une délégation indienne venue se balader en Euskadi. L'un d'eux, avec toutes ses plumes sur la tête, était allé déjeuner chez son cousin cultivateur. Côté communication ça ne marchait pas très fort car l'anglais, ici, c'est du chinois. Alors le cousin tout fiérot avait emmené le Peau-Rouge contempler ses machines : la batteuse, le nouveau tracteur etc. Mais c'est que l'autre était devenu fou furieux. Il avait craché sur le tracteur comme sur un bourreau de la terre. A genoux, il avait embrassé la terre et s'était enfui en courant.

Etxemendi qui conservait de l'humeur en profita pour la décharger. Que de toute façon ils (eux, pas lui, les Basques en général) se targuent de ce que le monde s'enfuit d'eux en courant et qu'on ne comprend rien à leurs histoires. Fiers d'être incompris. Très contents d'être isolés et incommunicables.

– Isolés, nous, incommunicables, ça par exemple! s'écria le représentant du peuple. Tu veux rire? Ici nous sommes tous bilingues et presque tous trilingues. C'est le reste du monde qui s'isole de nous, le monde entier qui est isolé.

La splendeur du propos n'échappa à personne. Alors Etxemendi se laissant aller avec les autres se mit à rire.

Ils rirent, ils mangèrent, ils burent. En sortant Etxemendi un peu rond glissa sur des ordures, tomba à la renverse et se cogna durement. Mais la main qu'il ramena craintivement du haut de son crâne à ses yeux était intacte. Il pensa qu'on oublie de se réjouir quand on est intact.

Le lendemain à Bilbao, solidement encadré par Begoña qui s'était scotché la bouche avec du sparadrap et par Arantxa (l'amie) bâillonnée d'un mouchoir blanc, Etxemendi, sa tête intacte dépassant les autres, manifesta pour la première fois de sa vie. Il n'avait pas de mal à se taire tant les filles donnaient l'impression que du silence absolu pouvait surgir la libération de leurs pères, du silence de tous, et tous se taisaient en marchant, des centaines, des milliers, sans doute des dizaines de milliers puisque lorsque les premiers arrivèrent à l'Arenal la queue de la manifestation n'avait pas encore atteint la place de Zabalburu. L'énorme silence proclamait, en silence, l'appui inconditionnel aux prisonniers et aux réfugiés. Ceux qui avaient été livrés par le gouvernement français, et relâchés après livraison, venaient après le bureau politique de Herri Batasuna qui marchait avec son député au Parlement européen, Txema Montero, à côté de la veuve de Santi Brouard, médecin assassiné par le GAL dans cette ville même, et du linguiste Txillardegi. C'est ce dernier qui voici près de trente ans, jeune étudiant, avait baptisé leur idéal du nom d'Euskadi Ta Askatasuna – Pays Basque et Liberté – pour que ses initiales façonnent la conjonction la plus courante et la plus utile de la langue, la conjonction et : *eta*. Une veuve, un linguiste, un député, en silence. Silence qui appelait des profondeurs de son silence la négociation politique. Et qu'on ne les jugeât point malfaiteurs ou criminels de réclamer, en silence, la restitution d'une souveraineté pleine et circulaire. La souveraineté nationale d'un peuple dont ils se sentaient, en silence, les uniques représentants.

La musique en silence du mot LIBERTÉ se balançait sur d'immenses banderoles comme des banderilles couchées, noir sur blanc, sans trace de sang au milieu. Seul le bruit d'un hélicoptère de la police survolant les marcheurs troublait le silence de la liberté balancée en marchant. Et parfois le cri de la txalaparta, primitive batterie dont le son fait tomber les murailles, et c'est pourquoi on en joue devant les murs des prisons quand on veut que les prisonniers entendent et répondent en chantant. Le chant guerrier de ce silence assiégeait la ville des sièges, la défendait mieux qu'une ceinture de fer contre l'écrasant dispositif policier qui, grâce à la discipline de fer du silence, n'eut à écraser personne. C'est dans un silence inouï pour la liberté d'expression et toutes les libertés qu'eut lieu, ce samedi-là à Bilbao, la plus grande manifestation connue depuis le franquisme. Mais seule la presse locale mentionna l'événement.

11

Sur ces entrefaites la dernière semaine d'octobre, celle qui se termine en novembre, arriva. Tellement enfin – et si soudain – qu'au lieu de rester calmement en perspective devant Etxemendi les choses qu'il attendait, ou qui l'attendaient, reculèrent en débandade. D'abord la clef du coffre. Qu'Antxon, au dernier parloir, ait confié à Arantxa où se trouvait la clef n'avait plus de conséquence immédiate puisque, sous l'effet d'un nouvel effondrement de Wall Street, Berroeta une nouvelle fois se décommandait. Ouvrir le coffre, au fait, pour y trouver quoi? Une arme à feu? Merci bien. Des documents? Pire encore. Maître Aramburu qui devait établir le transfert de l'acte de donation aux enfants Arrieta était aussi introuvable à Saint-Jean que Line à Paris. Personne ne se trouvait à sa place, exception faite pour les enfants Arrieta qui devaient certainement être à l'école, et la maîtresse aussi.

Dans la corbeille où il avait été jeté, le brouillon de la lettre à Ramone poussa le petit cri du papier froissé, à l'agonie. Quelle idée mais quelle idée avait-il eue d'envoyer ce mot contrit et suicidaire! Au lieu de se taire. Quelle femme mais quelle femme au monde peut avoir envie d'être attendue (et si elle arrivait en voiture, quel ridicule !) par un homme qui propose rien moins que de vous conduire vers la répression. A une assemblée sur « la torture et la répression » ! Il en perdait la respiration. Alors il s'accrocha à elle – vieux truc sportif –, pour ne plus penser à rien il se concentra sur le souffle. Mais il inspirait moins qu'il n'expirait car il cherchait à expulser la petite bête accrochée aux parois : l'état d'âme. L'air évidemment ne tarda pas à manquer. D'une poigne herculéenne Etxemendi tira vers lui la porte-fenêtre comme si c'était elle qui bloquait. Elle céda, tout de suite plus large que l'ouverture de ses bras, avec une aisance qui le renversa presque. Il se rattrapa au rideau mais l'appréhension de demeurer définitivement bloqué (entendons-nous : jusqu'au 1er, jusqu'au 2 novembre), physiquement bloqué par un tour de reins par exemple, impuissant à aller et venir en ce, en la chose, en l'objet de toutes ses pensées, inavouable tant cela supposait un aveu, cette appréhension dura plus que la douleur.

Sur le balcon il eut sa bolée d'air mais c'était de l'eau. Le climat aussi avait son état d'âme. Il ne pleuvait pas mais tout était trempé, et pas d'eau douce, d'eau salée. L'Océan à marée haute ne se contenait plus. Même les deux monts qui encadrent la baie paraissaient des montagnes d'eau et au milieu du faux lac l'îlot de Santa Clara, gonflé d'embruns comme une éponge, ne servait plus de fléau entre terre et ciel. L'océan débordait. Le poids des nuées molles avait joué en sa faveur, le ciel sombrait, la relation entre éléments se déglinguait. Après le fer, la pierre, le sable, le front, les cheveux, la nuque furent mouillés sans pluie, recouverts de cette suée saumâtre de l'extérieur. On eût dit que le mont Igueldo et le mont Urgull, l'îlot de Sainte-Claire, la Coquille, le fer forgé, la pierre, la chair, toutes les matières avaient envie de pleurer. Et les yeux d'Etxemendi aussi. Dans un sursaut d'énergie il décida de bouger, d'aller faire un tour, un peu particulier il est vrai, dans le caractère des aïeux et il prit, comme il se l'était promis le premier jour, la route de Loyola.

Au centre du sanctuaire qui déploie vigoureusement, fût-ce dans la grisaille, ses cent cinquante mètres de façade, s'élève la basilique. Mais le vrai centre, enchâssé dans le déploiement de pierre et de marbre comme autrefois dans la forêt, caché dans l'aile droite, est la maison natale de saint Ignace. A la fois tour et maison forte, défendue par des murs épais de deux mètres, des meurtrières et un petit canon représentatif des autres. Etxemendi la visita de fond en comble, suivi plutôt que guidé par un fantôme de père, boitillant et chétif, qui gardait le silence et les paupières mi-closes, se bornant à indiquer d'un doigt plus blanc que nature les notices en diverses langues.

A l'image du premier général qu'elle engendra, la Sainte Maison militaire blasonne. Vieille chrétienne fière de la race et puis, sur une image, un retable, se faisant douce comme l'agneau. Elle était le loup et l'agneau. Il visita les cuisines et les chambres de domestiques au premier, les chambres de maître au second, la chapelle et la salle d'armes quasiment vis-à-vis, puis passa au troisième étage. Dans l'escalier de bois le père se signa. Etxemendi poliment fit de même.

Assis au fond d'une grande salle or et pourpre tenant de l'oratoire et du musée, sous un violent éclairage électrique qui accentuait les zones d'ombre consacrées à la dévotion, Ignace était en train de lire. Le dossier du banc sur lequel il était assis portait ses blasons : les sept bandes rouges sur fond or et la crémaillère noire entre deux loups sur fond d'argent. Une couverture sur ses genoux glissait, découvrant sa jambe blessée, emmaillotée, posée sur un tabouret. Mais le livre qu'il tenait ouvert dans sa main gauche, il ne le lisait plus. Les yeux au ciel, sa courte barbe brune entraînant tout le visage vers le ciel, comme enlevé, ravi par ce qu'il avait lu. On eût dit que seule la jambe fracturée par un boulet français au siège de Pampelune le retenait au sol. Une vision répandait sur son visage viril de trente ans l'expression d'une femme. L'adoration entrouvrait ses lèvres. Et dans un mouvement que la manche à bouillons de sa chemise rendait plus voluptueux encore et plus abandonné, son bras droit, sa main, sa paume offerte semblaient dire je suis à vous, ou encore venez, oui, exactement cela, disaient venez venez à ce qu'il était seul à voir.

Au-dessus de cette sculpture polychrome grandeur nature, Etxemendi lut :

AQUÍ SE ENTREGÓ A DIOS IÑIGO DE LOYOLA

C'est donc ici qu'Ignace se livra à Dieu, reprit-il à mi-voix. Se livra, se donna, s'abandonna. Mais n'a-t-il pas plutôt été enlevé, oui ça m'en a tout l'air, c'est d'un enlèvement qu'il s'agit. Oh venez venez, murmura-t-il à celle qu'il choisissait en cet instant pour Dieu, l'insensé, devant laquelle il s'était même une fois agenouillé. Viens, la tutoya-t-il comme on fait aujourd'hui avec Dieu, je t'en prie, je t'en supplie. Enlève-moi. Il avait fermé les yeux, quand il les rouvrit pleins de larmes.

Le père qui l'avait suivi jusqu'alors, face à lui, le dévorait d'un regard famélique. Et comme un qui s'est trop longtemps retenu se mit à parler dans le désordre, la véhémence. Qu'à ce don des larmes Ignace tenait plus qu'à tout, persuadé, s'il cessait de pleurer, que ses visions le quitteraient, qu'il n'aurait plus de consolation sur terre. Qu'il avait même failli devenir aveugle à force de pleurer tandis que ses yeux à lui – et il se cogna le cœur – étaient secs. Frotté de l'intérieur par une poignée d'orties son visage se zébrait de rouge. Ses mains encore plus blanches en tremblaient. Mes yeux sont secs, répétait-il. Lorsque je contemple le divin corps crucifié c'est celui de mon frère que je vois et tant que cette abominable confusion durera je serai dans la sécheresse, promis au feu, perdu, damné.

Son directeur de conscience qui ne savait plus que faire de sa conscience l'avait engagé à suivre la méthode des exercices. Mais quand on n'est plus homme de désir, sans désir de Dieu, la méthode est inutile. Ça ne marchait pas. Depuis quinze jours il était bloqué dans la première semaine, et il y en avait quatre. Rien que le souvenir des élans de ferveur, de la pure allégresse éprouvée par Ignace, joie telle qu'elle l'empêchait de parler de dormir et de faire oraison, redoublait son sentiment d'impuissance. L'interdiction seule de rire s'était changée en bénédiction. Ignace avec sa bonne humeur naturelle avait pourtant cru inventer la pire des pénitences en s'interdisant de rire, lui qui aimait tant plaisanter. Il n'avait pas eu de difficulté non plus avec le péché des anges ni avec celui des premiers parents mais le troisième... il ne parvenait ni à le peser ni à le haïr car le péché mortel sur lequel il exerçait sa mémoire...

– Qu'est-ce que le péché mortel? interrompit Etxemendi convaincu de poser la vraie question.

– L'ordre perverti de nos actes, répondit le père avec une égale conviction.

Et par une association qui le fit frémir, il se mit à parler de son frère aîné. L'ordre perverti de ses actes faisait passer la cause et l'assentiment à la cause de son frère avant celle de Notre-Seigneur. Les humiliés, les offensés, son frère aussi les avait secourus, parmi eux quelques assassins sans doute, mais ces assassins-là il ne parvenait pas davantage à peser leur péché qu'à haïr leur crime. Qu'Ignace de son côté avait porté les armes – il déraisonnait maintenant avec la logique du Diable – et pas seulement contre les Français à Pampelune mais bien avant puisque menacé de mort il avait obtenu le port d'armes. S'il n'avait pas été armé, eût-il été blessé? S'il n'avait pas été blessé, se serait-il donné à Dieu? Il en venait à envier ce sort, à prier le ciel que les Français du GAL lui flanquent une bonne bombe entre les mains et le fassent exploser, coupable de surcroît aux yeux du monde. Comment Ignace aurait-il créé l'ordre des soldats du Christ s'il n'avait mesuré l'ordre matériel du monde aux armes? Et aux armes à feu la force des armes spirituelles? Chevalier de prouesse avant tout, intéressé à cela, calculateur même, héroïquement, intrépide, fidèle, joyeux, têtu comme un Basque, subissant à sa façon l'opprobre jeté sur cette race. Etxemendi savait-il qu'avant Ignace on appelait autre Jésus, *jesuita,* le chrétien après sa mort? Mais depuis la création de la Compagnie le mot évoquait trop souvent l'hypocrisie, le faux Jésus. En Europe naturellement, pas au Paraguay ni en Chine ni en Euskadi. S'il échouait à se réengager sur le divin chemin il deviendrait cela, faux Jésus, quand bien même franchirait-il l'obstacle du péché mortel de tous, de ceux qui avaient tué comme de ceux qui avaient été tués. Voilà à quoi l'avait mené l'exercice de la mémoire : qu'il avait tué *et* qu'il avait été tué. Alors il recommençait inlassablement le premier prélude au cinquième exercice qui est la composition du lieu. Mais il ne voyait que son frère. Essayant de poser devant les yeux de son imagination la longueur la largeur et la profondeur de l'enfer, il n'arrivait qu'à recomposer devant lui la longueur la largeur du corps torturé de son frère, la profondeur de l'injustice.

Mettant bout à bout ce qui surnageait dans la détresse de ce père affolé de culpabilité, Etxemendi entrevoyait une partie de son histoire. Le père venait de perdre son frère aîné, le bien-aimé de sa vie, un frère grand et fort, qui exerçait la profession de chirurgien et avait dû soigner sinon opérer nombre de blessures illégales ou clandestines. Les gardes civils étaient venus l'arrêter en pleine nuit alors qu'il mettait sa voiture en marche à une heure indue, muni de sa trousse de chirurgien, refusant de dire où il allait. Ils l'avaient gardé dix jours. Il avait dû mourir au bout de deux ou trois. On l'avait retrouvé dans la rivière, noyé. Un généraliste de Fontarabie convoqué pour l'autopsie avait signé l'acte de décès, apposé sa signature lâchement sous la mention habituelle : « arrêt du cœur ». Et on n'aurait jamais rien su de ce qui était réellement arrivé si un oncle de Madrid également médecin mais officiel, une sommité fort connue, non suspect, accouru pour consoler, ne s'était étonné de tout : de l'arrestation sans mandat, de la mort par noyade en pleine santé, de l'impossibilité pour la famille de voir le corps. Il avait pris l'affaire en main. Trop bien placé à Madrid pour qu'on lui refuse rien à Saint-Sébastien il avait obtenu, pour les médecins danois d'une organisation humanitaire contactée par l'écrivain Eva Forest, l'autorisation de procéder à une autre autopsie. On avait déterré le cadavre. Le corps portait les stigmates atroces de la torture.

– Si ma désolation doit être plus grande que ma consolation, poursuivit le père, je ne souhaite pas que se prolonge mon existence. Je me suis agenouillé, face contre terre, le visage tourné vers le ciel, je suis resté assis des heures ayant fermé ma porte, ma fenêtre, je me suis levé, je suis sorti, j'ai marché jusqu'à épuisement sur le mont Izarraitz, je n'ai fixé personne, je n'ai regardé le visage de personne pendant des jours jusqu'à aujourd'hui, jusqu'à toi que je fixe et auquel je parle. Pourquoi? Parce que je t'ai envié, je t'envie. Il t'a suffi de voir le désir de Dieu représenté pour que tes yeux s'emplissent de larmes.

Quel malentendu, mon Dieu, quel malentendu.

– Tu l'as désiré du fond du cœur. Tu l'as même appelé. Venez venez, et quand tes yeux se sont rouverts ils étaient pleins de larmes. Quel piètre athlète spirituel je fais à côté de toi! Tu es grand et fort, j'imagine ton âme capable de marcher et de courir aussi vigoureusement que ton corps. Tu es bâti pour déprimer le démon.

Ils se trouvaient maintenant dans la basilique. Effet du saint lieu, aussi laid que fort, Etxemendi ne put supporter davantage la méprise. Saisissant le père par le bras, tu te trompes, dit-il à voix haute. Et la sainte acoustique amplifia son aveu. Je suis un mécréant. Je n'ai pas un instant dit à Dieu de venir. J'ai appelé une femme.

Une grimace de douleur tordit le fin visage épuisé. Le père porta la main à son cœur comme pour en arracher une griffe de fer puis tomba aux pieds d'Etxemendi comme la victime aux pieds du bourreau. Ce dernier crut l'avoir tué. Sans aucun sang-froid il courut chercher de l'aide. Deux pères, à petit trot, revinrent avec lui. Père Arrieta, père Arrieta, souffla le plus âgé. Je ne sens plus son pouls. Téléphonez à l'hôpital, vite, ordonna-t-il à l'autre. Vite une ambulance. Et à l'inconnu, témoin de l'accident : il a trop pris sur lui depuis la mort de son frère, trop souffert, et le voilà, pauvre brebis innocente, qui vient tomber devant son propre confessionnal ! Mon Dieu que tes voies sont dures.

Ledit témoin, en sueur, s'approcha du petit tribunal à guichets. Il put vérifier, l'incrédule, sous la croix qui surplombe le confessionnal le nom du confesseur inscrit sur un carré blanc. Padre Arrieta. C'était le même qui hantait sa conscience. Se recouvraient-ils, nom patronymique, par hasard, ou par ce pur hasard qui porte un autre nom ? Au bout de sa résistance Etxemendi s'adressa en direct au berger par excellence. De façon assez rude mais en se rudoyant davantage car il échangea la vie du père, en définitive de tous les Arrieta, contre celle-la même qu'il attendait.

Puisqu'il te faut des sacrifices, dit-il à Dieu, tiens, prends. Sache que je ne quitterai pas le chevet de ce père tant que tu ne l'auras pas sauvé, dussé-je manquer ce rendez-vous du trente où il y va de ma vie.

C'est ainsi qu'Etxemendi passa la nuit et le jour suivant dans un couloir de l'hôpital de Loyola.

12

Revenant du plus loin où il était jamais allé – la peur d'avoir tué –, Etxemendi sur la route roulait à faible allure. Il ne ressemblait plus du tout à cet homme pressé du début d'octobre, à ce divorcé, constructeur de barrages dans l'État d'Oaxaca, qui vient passer un mois de vacances en Europe et se dépêche de régler avant une affaire d'héritage. Lors de la visite d'une minute autorisée par le cardiologue, le père avait souri, donc pardonné, murmuré reviens, comme Antxon au parloir. Il y avait tous ces Arrieta désormais dans la vie et lorsqu'il avait ramené Begoña (appelée de l'hôpital elle s'était débrouillée comme un chef pour l'y rejoindre) de Loyola à Mondragón, Arantxa avait déclaré qu'il avait mauvaise mine, que ces émotions l'avaient brisé, qu'il était hors de question de rentrer cette nuit à Saint-Sébastien. Alors Begoña avait dormi avec sa mère et lui dans le lit de Begoña. Ainsi s'agrandissent les familles.

Il avait dormi dans les draps de Begoña, dans son odeur d'eau douce et de savonnette qui le troublait encore quand elle s'approchait de lui pour le câliner brusquement, comme une fille un peu jeune fille et sienne. Il eut un coup de chaleur, arrêta la voiture sur le bas-côté de la route, ôta sa veste. Il vit que la voiture de la banque, les vitres surtout, étaient sales, ses souliers boueux. Voiture à laver, chaussures à cirer. Le jour d'un bleu impérieux faisait la lumière sur la moindre imperfection. Jusqu'à l'ondoyant feuillage des arbres se portait au sol avec netteté.

Jamais l'ombre n'avait été plus ombre, dans ce style propre qui est celui de la nature en été alors qu'on approchait de l'hiver. Un peu plus loin il ouvrit carrément la vitre et déboutonna son col de chemise. Une torsade d'air chaud s'y engouffra. Il comprit alors ce qui se passait : le vent du sud s'était mis à souffler.

La merveille durerait-elle juqu'à son arrivée ? Il traîna sur la Concha, sa veste sur l'épaule. Le vent empoignait les chevelures. Il soulevait les vêtements retrouvés de l'été. Jupes gonflées, les filles ne touchaient pas terre. Les garçons se déshabillaient sur la plage, couraient à l'eau. Devant lui un couple s'arrêta, frappé d'évidence, et s'enferma dehors dans une suite de baisers interminable. L'homme portait une chemise blanche. Par superstition Etxemendi fit demi-tour, quitta la promenade, entra chez un chemisier où il essaya plusieurs modèles uniquement en blanc. Comme il avait maigri il dut serrer sa ceinture d'un cran. Dans la glace il remarqua que la vendeuse le suivait avec beaucoup d'intérêt. Alors il se regarda. Le blanc rehaussait l'ombre sur son visage. Il ne s'était pas rasé depuis deux jours et dans son ombre de barbe, sa chemise blanche, son blue-jean juste au corps, il ressemblait certainement à quelqu'un après qui elle soupirait. Il en acheta deux, la même, puis entra chez un coiffeur qui s'empressa de proposer ses services comme barbier, ce qu'il refusa. Quand il sortit de là les cheveux plus courts la nuit tombait. Il n'y avait plus rien à faire d'autre qu'à rentrer. Il s'était absenté moins de quarante-huit heures mais il avait reçu pendant son absence plus de messages qu'en trois semaines. Dont un télégramme qu'il décacheta là même, sous les yeux du concierge.

ARRIVERAI VENDREDI MATIN PALOMBE BLEUE CORRESPONDANCE IRÚN STOP ATTENDEZ-MOI PREMIER TRAIN VENANT D'IRÚN MERCI RAMONE

Voilà bien les femmes! murmura-t-il fou de bonheur pour cacher qu'il était fou, jamais de chiffres, elles veulent qu'on se renseigne! Je désirerais retenir une chambre, poursuivit-il à l'usage du concierge, au nom de Mme Alphand, à partir d'après-demain pour deux nuits, éventuellement trois, donnant sur la Concha bien sûr.

La veille (plus que 24 heures, 23, 22, 21, etc.) il eut le temps d'apprendre quasiment par cœur dans *Egin* la liste des participants aux Rencontres. Étrange liste où les petits pays avec leurs vieilles causes auxquelles l'Europe reste sourde mêlaient leur plainte à celle de dictatures immenses de l'autre côté de l'Atlantique. Il y avait des mères argentines, de celles qu'on appelait Folles de la place de Mai, une commission des droits humains au Pérou, au Chili, des Corses, des Bretons, un comité de Solidaritat amb els patriotes catalans, des Irlandais du Sinn Fein, un médecin danois, un professeur belge de droit pénal, et aux représentants de toutes sortes d'associations de victimes s'adjoignait, symbole du combattant, un *gudari* du bataillon Gernika! Côté France surtout, beaucoup de femmes s'occupaient du malheur des hommes. Déclarée persona non grata par la police espagnole, Maître Christine Fando, rapporteuse de la commission sur le droit d'asile, était remplacée par Maître Mireille Glaymann du barreau de Paris. Il y avait une experte en droit international, une déléguée de la Croix-Rouge internationale, la directrice du comede, Gabrielle Boisson Toubou, qui, sur le document remis au siège des Gestoras, se nommait Buisson-Touboul. Le journal nationaliste écorchait les noms étrangers, oui, ce devait être ça, puisque après un avocat du groupe Jeunes Avocats de Madrid et une romancière française, Florence Velay, dont le journal précisait qu'elle avait traduit les œuvres d'un certain Bergamin – certainement l'écrivain allemand Benjamin –, se trouvait bel et bien un docteur Ramon Alphant – sans e et avec un t – double méprise qui transporta d'allégresse celui qui attendait (plus que 12 heures, 11, 10, etc.) d'être un homme dans ses bras.

Entraîné par l'ami de chez Bilintx, de bar en bar, il se saoula.

C'est dans un état de calme parfaitement anormal vu la nuit qu'il avait passée qu'Etxemendi se trouva en même temps que le jour – soit très en avance – à la gare de Donostia-Saint-Sébastien où il était lui-même arrivé trois semaines plus tôt. Profitant de l'heure matinale, il répondit au message de Milagros d'appeler tôt, avant l'école. Elle proposait qu'il l'accompagne ce dimanche, qui était de Toussaint, au cimetière de Gurs sur la tombe du père d'Antxon. Ah non, répondit Etxemendi avec un calme qui tenait lieu de gloire, tout à fait impossible ce dimanche. Non désolé. Pour beaucoup de raisons il eût souhaité mais, ce dimanche, franchement impossible.

Il se garda de téléphoner ailleurs, but un énième café sans effet, étrangement calme, au bord de l'indifférence, jeta un œil sur les journaux. Une grève seule, de la SNCF ou de la RENFE, aurait peut-être eu le don de l'animer. Au lieu de ça le prince des Asturies avait remis le prix Prince des Asturies à l'écrivain Camilo José Cela, au sculpteur Chillida, au secrétaire général des Nations unies quand le train en provenance d'Irún entra en gare. A cette annonce quelque chose se retira si violemment qu'il fut sur le point de basculer. Il fit un pas en arrière.

Du bout du quai il savait que c'était elle la dernière. La plus petite des voyageuses. Dans un manteau léger coupé en cape, violet tirant sur le noir. Un sac en bandoulière, un autre à la main. Il s'était juré de ne pas courir comme dans les films mais il ne put s'en empêcher, elle avançait si lentement. Les cheveux tirés en arrière, ses cheveux violet sombre. A quelques centimètres seulement il freina. Ils ne se tendirent pas la main. Ils ne s'embrassèrent pas non plus. De très près ils se regardèrent, lui visage penché, elle visage levé, dans un état de tension extrême, désireux de sourire, incapables. Il la regardait comme une pierre de Rosette, à l'affût du signe qui conduirait au mot, à la phrase, à la langue entière. Il ne vit que ses lèvres. Elle avait barré ses lèvres d'un rouge-violet. Alors il se pencha pour prendre son sac, le lui porter. Ce sac ne pesait rien du tout. Une pensée effrayante le traversa : elle n'était venue que pour la matinée.

Je ne te demande qu'une chose, du temps. Fais en sorte que j'aie du temps avec elle. Je veux bien ne pas l'embrasser sur ce quai pourvu que j'aie du temps avec elle. Telle était sa prière. De ce côté-là les choses bougeaient : depuis qu'il avait pressenti, dans un couloir d'hôpital, que Dieu ne s'intéresse finalement qu'à ce qu'il y a d'intéressant, Etxemendi s'adressait à lui avec sympathie.

– Julen.

Il se retourna.

– Vous marchez trop vite.

Il s'arrêta.

– Mais c'est l'été, constata-t-elle avec ravissement.

N'avait-elle pas reconnu le vent ? Avait-elle oublié ? Il voulut dire que c'était le vent qu'il avait connu dans sa chambre mais sa bouche sèche trahit l'autre inquiétude. Sans naturel aucun, il proposa de passer par l'hôtel déposer ce sac fantôme avant de la conduire à la salle de la caisse d'épargne municipale où avait lieu l'ouverture du colloque.

– Vous connaissez cet hôtel ? demanda-t-elle en sortant un papier de sa poche.

Il déchiffra le nom d'un vilain petit hôtel devant lequel il était passé à plusieurs reprises. Oui, fit-il d'une voix blanche. Toute construction s'effondra.

– Julen, dit-elle un siècle après dans la voiture, ne soyez pas idiot.

– Oh je vous en prie, rétorqua-t-il avec une violence insoupçonnée, si vous êtes venue pour me dire ça...

Ils n'échangèrent plus un mot jusqu'au bruit épouvantable que firent les freins devant l'hôtel Codima. Elle demeura assise. Alors il sortit et lui tint poliment la portière comme eût fait le simple chauffeur de sa lettre.

Julen, dit-elle pour la troisième fois alors qu'il n'avait pas encore prononcé une seule fois son nom à elle. Elle le soupirait sans attendre de réponse, sans interroger, sans poursuivre, comme une évidence. Il lui tendit son sac de voyage de plus en plus léger. Des paroles d'excuses lui emportèrent la bouche. Il remonta dans la voiture et redémarra.

Tu as eu raison de partir, Etxemendi, se dit-il dans le rétroviseur. Tu n'es pas en mesure de redresser la situation. Qui t'a vu avant-hier, hier, et te voit aujourd'hui, ombre de ce que tu étais! Tu t'es conduit encore une fois de façon aberrante. Tu as couru, tu as freiné, tu étais à quelques centimètres de ses lèvres, tu ne l'as pas embrassée. Qu'attendais-tu? Qu'elle t'y autorisât? Ou qu'elle t'ouvrît son lit dès neuf heures du matin par vertu d'un voisinage ridiculement prémédité? Encore heureux qu'elle n'en ait rien su. Félicitations mon vieux. Ta crise dans la voiture n'était pas mal non plus, quand tu as piqué ta colère, parce qu'elle disait la vérité en te traitant d'idiot.

Il se sentait idiot mais pas désespéré. Pour plusieurs raisons dont l'intonation du troisième Julen et ce nouveau visage qu'elle s'était fait pour lui et son nouveau visage à lui qu'il n'avait pas encore rattrapé intérieurement mais qu'il aimait bien dans le rétroviseur, et surtout surtout ce déferlement de chaleur. Harcèle-la, dit-il au vent du sud, pas de répit, ne la lâche pas, ôte-lui son manteau, conduis-la du Codima à la salle de réunion, fais-la souffrir, ne l'épargne pas, donne-lui envie de moi, mets-toi en elle, ôte-lui ses bas, fais ça. Il décommanda la chambre de Mme Alphand, monta dans la sienne. En consultant le programme des Gestoras il décida de l'heure et de l'endroit où il réapparaîtrait puis ouvrit la fenêtre pour laisser entrer le vent. L'Océan, plus chaud que la terre, lâchait une buée d'iode et d'embruns qui fumait comme un incendie. Une brume s'élevait de la terre. Un brouillard embaumé. Il respira à fond cette poussière d'eau et d'algues. Ramone Ramone. Il essaya de tout revoir depuis le bout du quai puis terrassé de nuit blanche, du choc des lames entre elles, d'émotion, s'endormit. Ce fut son avant-dernière fuite.

13

Dans un terrain plutôt vague, éloigné du centre ville, s'élèvent les bâtiments de la Faculté de droit. On dirait que l'État alloue aux études de ses étudiants les mêmes clapiers qu'à la fatigue de ses ouvriers, pour décourager les uns d'étudier, les autres de se reposer. Ainsi va s'accentuant le grand écart qu'il favorise, par mesure de sécurité, conjurant l'alliance redoutable qui pourrait le déboulonner.

Le hall du bâtiment qui abritait la Xᵉ Rencontre des Gestoras avait été transformé en forum éphémère. Des banderoles aux couleurs d'Euskadi, vertes et rouges, alternaient avec des photographies en noir et blanc groupées par thèmes sur de grands panneaux dont chacun illustrait une des trois commissions :

Errepresioaren aurkako Komisioa.

Estatu Polizialaren aurkako Komisioa.

Torturaren aurkako Komisioa.

Etxemendi demeura là un bon moment. Se souvenant de ce qu'avait enduré le père Arrieta pendant ses exercices ratés, il se força à contempler les terribles images jusqu'à y entrer. Les peintres d'aujourd'hui ne peignent plus l'enfer, normal, pensa-t-il, puisqu'il y a les photographes.

Les photographies de la répression évoquaient un climat de guerre. Des chars de l'armée occupaient une place vide. Des militaires pointaient leurs armes sur un ikurriña que présentaient de jeunes inconscients qui le prenaient pour armure. Deux autocars barraient une avenue. Une troupe de garçons s'affairait à desceller des bancs publics dans une ambiance d'émeute. Fumées, bris de glaces, incendies. Un bataillon de flics casqués au coin d'une rue hésitait à traverser comme s'il allait être fauché. Deux autres, bâton en l'air, empoignaient par le dos de sa chemise un jeune homme qu'un vieux à béret tirait des deux mains vers lui. D'une femme, bras croisés sur un cercueil à l'arrêt, on ne voyait que le haut du visage, de grands yeux cernés. Autour, une haie de matraques prêtes à tabasser et la veuve et le mort. Une petite maigrichonne protégeait d'un bras ses lunettes cerclées de fer, soulevait de l'autre la bière d'un mort qui chavirait. Le bois dont sont faits les gourdins s'abattait sur celui des cercueils. L'épouse arrêtée à Biarritz sous les yeux d'Etxemendi avec son enfant s'était agrandie en poster, transformée en symbole de la Commission réfugiés. Mais rien n'était plus misérable ou plus universel que les photographies servant de preuve à l'existence de la torture. Un homme courbé, de dos, avait baissé son pantalon et relevé sa chemise pour montrer l'état de ses fesses, de ses flancs, plus marqués que ceux d'une bête. Un cadavre livrait son corps couvert de zones noires, ses mains aux ongles arrachés posées sur ce qui avait été le sexe d'un homme. La pommette droite éclatée, un garçon aux dents brisées fixait encore son bourreau. Presque un enfant. Le nez écrasé, les lèvres tuméfiées, il ne comprenait pas encore ce qui lui était arrivé. *Aski da.*

Ça suffisait. Les tempes bourdonnant de rage contre le

monde entier y compris lui-même qui déléguait toujours ses pouvoirs à d'autres citoyens, Etxemendi suivit la première flèche et entra dans la première commission. Il entra sans bruit, si précautionneusement qu'un seul visage se retourna.

Visage. Cher visage intact. Parcouru d'anxiété mais intact. Alors Etxemendi s'appuya contre le mur de la salle de classe pour bien montrer qu'il attendrait le temps qu'il faudrait. Et il fit dans sa direction un petit hochement d'existence, d'acquiescement, un très doux hochement de la tête. Ainsi fut-il délivré en même temps qu'elle de ce poids qu'ils avaient tout le jour fait peser l'un sur l'autre. Délivrés de l'inquiétude individuelle deux visages de plus se tournèrent vers l'orateur. Elle avait rougi. Qu'il était heureux en dépit du malheur. Quelqu'un – Maître Beltza – signala une place libre. Mais Etxemendi ne voulut pas s'asseoir au cas où elle se retournerait encore.

Si des régimes dits démocratiques, pour ne pas parler des autres, prétextaient de la raison d'État pour couvrir des intérêts multinationaux, créaient des juridictions spéciales, des prisons spéciales, déportaient dans des pays tiers des personnes n'ayant pas encore été jugées ni condamnées, poursuivaient une politique d'extermination au sens propre et au sens figuré, allant de la collaboration avec des appareils répressifs étrangers à une stratégie de réinsertion ou à la remise de peine pour ceux qui collaborent avec la police, alors les peuples avaient le droit d'adopter toutes les mesures qu'ils considéraient nécessaires pour recouvrer leurs droits à l'autodétermination. Voilà, en gros, ce qu'entendit et nota Etxemendi sur un papier assez mélodramatique à en-tête rouge et noir, imprimé pour la circonstance, que lui avait passé son voisin. Notes destinées à « ses femmes », celles d'Antxon.

Tous se levaient. La séance de travail était terminée. Ramone fut devant lui. J'ai eu peur, dit-elle en se jetant à l'eau. Moins que moi, avoua-t-il s'y jetant derrière elle.

Parce qu'il n'avait plus de voiture ils sourirent ensemble. Juste avant d'aller à la Faculté, dans un comportement magique de primitif, il l'avait rendue. Garé sans remords l'honnête véhicule dans le parking de la banque, remis les clés à l'huissier avec un mot pour l'invisible Berroeta. Ainsi s'effacent les scènes. Ils se retrouvèrent à trois derrière – elle entre lui et Beltza – dans la voiture de José Felix Azurmendi, l'ancien directeur d'*Egin*. A côté de lui sur le siège avant il y avait une Française, à la chevelure pensive, qui cala entre ses jambes un cartable bleu républicain. Le dernier cadeau de son père, confia-t-elle, il était mort au printemps. Ramone dit que le sien aussi et elles se mirent à parler de leurs pères en français tandis qu'Azurmendi racontait en espagnol l'épopée du journal. *Egin* venait aussi d'avoir dix ans. Il se vendait à quarante-cinq mille exemplaires et lui, en tant que directeur, était passé douze fois en jugement.

Non seulement Etxemendi parvenait à suivre les deux conversations mais la moitié droite de son corps en poursuivait une troisième, involontaire et bouleversante, avec la moitié gauche du corps de Ramone. C'est à regret qu'il s'en sépara quand on fut arrivé devant le restaurant, moins restaurant que cantine, où on allait dîner à trente environ. D'un même menu pour tous : soupe, omelette aux piments puis thon à la biscaïenne. Cidre et vin à volonté.

Avec les amis on ne mange presque jamais chez soi, expliqua un professeur aux étrangers. On va dans les cantines de son parti, HB ou PNV selon les goûts. Nos femmes nos mères font la cuisine à tour de rôle pour tous. L'idée communautaire ici n'est pas une utopie, c'est une organisation spontanée. Depuis l'enfance on fait partie d'une bande. Pour le rugby, la pelote, la chorale, le *poteo*. De bar en bar, chacun offre un pot, si on est dix ça fait dix fois le même et voilà comment on devient alcoolique, conclut-il gaiement, en buvant cordialement.

Le village, la famille, l'équipe, l'association, le parti, finalement on n'était jamais seul dans ce pays. On mangeait ensemble, on buvait ensemble, on manifestait ensemble, on allait voir ses prisonniers ensemble. Euskadi, soupira Etxemendi, c'est le cauchemar du solitaire. Ramone comprit très bien pourquoi il disait cela. Pas l'autre qui protesta que ce cas-là aussi était prévu par la communauté : le solitaire se faisait berger.

Dehors enfin seuls dans la nuit chaude ils marchèrent en silence après tout ce bruit vers l'océan qui en faisait un autre, tout petit celui-là, et léger, régulier. Comme le vent était tombé endormi, les vagues venaient fermer les yeux sur le sable en clapotant. Ils ralentirent. Ils écoutaient, ils attendaient la prochaine vague. Puis ils s'arrêtèrent en même temps.

Ils ne rouvrirent pas les yeux de longtemps. Elle nageait dans ses bras et lui avait les pieds si solidement fixés à terre qu'on aurait pu tracer leur contour à la craie. Ils ne s'étaient pas touchés de tout le mois, de tout le jour, jamais, aussi se donnèrent-ils comme un mois de baisers légers, mouillés, éperdument réguliers. Puis éperdus comme ceux que l'océan donne aux rochers par nuit de tempête. Ils n'eurent le temps de rien se dire avant de se séparer devant l'hôtel Codima et ils s'emportèrent dans leur nuit séparée, presque soulagés de se séparer afin de pouvoir y penser, revoir tous leurs baisers sur la Concha et s'attendre, attendre leur nuit en dormant, et ce fut le matin.

Comme elle souhaitait le passer tranquille, sans se retourner, dans son groupe de travail sur la répression, Ramone avait délégué Julen aux réfugiés. Cette salle-là était à moitié pleine, on y fumait beaucoup. Le débat courait sur la disparition du statut de réfugié politique. Le droit d'asile, en France, n'existait plus. Deux qui avaient été pris dans la rafle du 3 octobre, remis par la police française à la police espagnole et relâchés, un petit gros en chemise Lacoste rose, lèvres et cils humides, suivi d'un grand brun type forestier au tricot vert pomme, témoignaient. On évoqua le temps où Maître Badinter, à Aix, défendait Martin Apaolaza et plaidait le « politique » apposé à « réfugié ». Dès l'année suivante, l'administration française opposait à toute demande de carte de réfugié le caractère démocratique de la nouvelle monarchie approuvée par la Constitution. Mais bon sang de bonsoir, s'exclamait le grand brun, nous on a quand même voté non à ce référendum sur la constitution! Les choses avaient empiré avec l'arrivée du gouvernement socialiste puisque, pour la première fois dans toute son histoire, la France avait accordé l'extradition. Un ministre socialiste était même monté au créneau, à une heure de grande écoute, pour défendre le bien-fondé de l'extradition de trois Basques, les accusant d'être des « criminels aux mains pleines de sang ». Manque de chance : deux des trois seraient acquittés par le tribunal de Madrid! Mais les Français n'en avaient rien su. Béistegui était même revenu à Bayonne – avant de se faire à nouveau expulser parce qu'il dévoilait les menaces que le GAL faisait peser sur lui depuis sa libération. La liste des cas s'allongeait, monotone : celui dont le tribunal de Pau avait annulé le décret d'expulsion et dont l'annulation avait été annulée par En-Haut, celui dont le décret d'expulsion portait le nom en blanc, etc. Lorsqu'une déclaration faite sur un autre ton, plus distant, plus tranquille, réveilla Etxemendi. L'homme, haut et maigre, parlait une main dans la poche de son pantalon. Il avait les cheveux noirs et la moustache grise comme son jersey à col roulé gris. Parmi les têtes hâlées ou échauffées la sienne était sèche et triste. Il posait la question lancinante : comment rompre le cercle du silence autour d'eux? Comment cesser d'être « des fous qui posent des bombes? » Les agences de presse ne transmettaient pas leurs nouvelles, la rédaction des journaux les bloquait. Des dossiers établis de façon irréprochable, envoyés aux grands journaux européens, n'avaient jamais paru sauf en Angleterre. Quand un jugement qui leur était favorable allait être rendu, les journalistes n'entraient pas à l'audience, préférant griller des cigarettes dans la salle des pas perdus. Les places réservées au public au Palais de justice de Madrid étaient confisquées par des gardes civils qui avaient eu le temps de faire la queue. Rien ne paraissait pouvoir venir à bout de ce mur de silence, répression de plus, véritable guerre menée par les médias contre eux. Obéissait-on à des ordres? Il exprima poliment des regrets sur l'affaiblissement de la conscience civique puis sur l'absence d'intellectuels français sur le terrain, comme au temps de la guerre du Viêt-nam ou de la guerre d'Algérie. Puis toujours très calme et sans espoir conclut par une phrase qui donna à Julen la chair de poule : combien il serait heureux, lui, Julen de Madariaga, que la lutte n'ait plus de raison d'être et de pouvoir annoncer la dissolution d'ETA.

– Dans sa bouche, ça cogne, murmura le voisin.

– C'est bien lui? s'assura l'autre Julen.

– Oui, un des chefs historiques, un des fondateurs,

confirma son voisin avec les mêmes mots que Begoña dans l'autobus.

Tout cela repris, commenté avec fièvre, dans une cidrerie d'Astigarraga où on déjeuna à soixante au moins. Le bon repas qui ramenait sur la terre natale débutait par une soupe aux choux et aux haricots rouges (il ne manquait que les châtaignes) et s'achevait sur le fromage de brebis et les pommes. Au café, Azurmendi vint expliquer aux Françaises – Julen était assis entre elles – qu'il y aurait une *encerrona* cette nuit dans la cathédrale. Les familles des prisonniers et des réfugiés s'enfermeraient cette nuit dans la cathédrale à défaut de s'enfermer dans la mairie qui avait refusé l'autorisation. Manifestation par conséquent interdite à laquelle il suggérait de se rendre tous pour lui apporter le soutien. Les Françaises acquiescèrent immédiatement. Julen sentit sa chaise et la terre se dérober sous lui.

Il n'y aurait pas de nuit avec Ramone. Jamais. Ni 30 ni 31 octobre. Les dates, les chiffres, les heures, l'échéance du retour, tout ce qui avait été remis à plus tard, à l'après-Ramone, se trouva devant lui sans elle. Aucun espoir n'avait plus lieu d'être. La cidrerie occupée par une soixantaine d'individus lui devint insupportable. Il se leva et sans rien prétexter, ni bruit ni chaleur, s'enfuit comme une ombre à l'air libre.

14

Le docteur Alphand alluma une cigarette puis sans se départir de ses façons lentes se leva de table. Dans la cour d'autres convives buvaient le café. Il y avait beaucoup de monde mais personne. Elle traversa la cour tâtant l'air du visage, précautionneuse comme une jeune tortue, tendit le cou vers la rue. Alors on la vit jeter sa cigarette et disparaître en courant.

Au bout de la rue Etxemendi souffrait un instant de mort éternelle. Il entendit bien claquer des talons de femme mais se retourner en direction d'un quelconque espoir, faire un seul pas dans cette direction était impossible. Il lui laissa faire tout le chemin. D'ailleurs il souffrait encore quand elle s'abattit contre son dos en disant, tout essoufflée, qu'ils allaient ensemble à Biarritz demain, qu'elle avait toujours pensé qu'ils iraient ensemble à Biarritz demain et pensé qu'il le pensait. Or c'est justement cette éventualité qui lui était sortie de l'esprit; il en avait tellement rêvé qu'il l'avait oubliée. Même hier lorsqu'il refusait à Milagros de l'accompagner au cimetière dimanche il ne se donnait aucune explication. Et maintenant maintenant. C'était merveilleux ce léger poids implorant dans le dos. Il pivota doucement, sans se séparer d'un millimètre du corps de cette femme. Sur ses hauts talons elle lui arrivait bien à l'épaule. Il la souleva saintement, referma les bras autour d'elle et c'est ainsi, en la cachant aux yeux du monde, qu'il ressuscita. Sur un banal trottoir, devant le béton prodigieux, encore plus vivant que sur la Concha devant l'Atlantique.

Telle fut la raison de l'absence d'Etxemendi cet après-midi-là à la séance commune qui devait rendre publiques les conclusions des trois commissions. Il était désormais l'homme en instance de départ qui doit prendre congé et faire ses bagages parce qu'il s'en va demain, non à Biarritz – ça il préférait le taire – mais à Paris puis à Mexico. L'ingénieur qui doit de toute urgence retraverser l'océan pour arriver à temps à un rendez-vous de chantier à Oaxaca, et ça, toutes ses femmes le comprirent, même Begoña, qui en reçut la notification de plein fouet puisque après une pauvre petite plaisanterie du genre « j'avais oublié que tu étais Américain » ne trouva plus rien à dire. Il fallut bien une minute à Julen pour comprendre l'anormalité de ce silence. Elle pleurait. Bavardes et douces les larmes de Begoña à leur tour firent la lumière et cessant d'être l'homme qui s'en va Etxemendi devint l'homme qui revient. Celui qui, obligé de remplir quelques obligations dans le Nouveau Monde, ne songe en réalité qu'à revenir dans l'Ancien, son avenir. Quand quand? insistait l'enfant. A la Noël, répondit-il au hasard. Mais à peine eut-il donné cette réponse qu'il sentit le besoin impérieux d'être de retour à Noël. Rien de ce qu'il était venu faire ici il ne l'avait mené à terme. Rien n'était réglé. Maître Aramburu attendait, le señor Berroeta attendait, le père Arrieta, Antxon, Begoña attendaient. Peut-être que Ramone aussi l'attendrait.

Les abords de la cathédrale étaient déserts, bon signe,

l'entrée des familles avait dû s'effectuer sans violence. Le problème se poserait demain, à la sortie. La nuit du Créateur à l'extérieur était tiède, froide à l'intérieur. L'écart de température entre le parvis et la nef frappait, comme la différence d'intensité entre l'éclairage urbain et l'ecclésiastique. Aux familles de pécheurs la cathédrale n'offrait qu'une portion congrue de lumière, celle réservée aux messes basses. Le contraire des lumières frénétiques de Loyola. Enguirlandé d'ampoules chétives le campement avait pauvre allure. Bivouac sans feux, maigre troupe, bien moins nombreuse que les chaises. Certes les enfants portaient de bons gros anoraks. Les thermos étaient remplis de boissons chaudes. Les sacs en plastique contenaient bien plus que le pain et le vin, de quoi nourrir un régiment. Ils n'étaient certes pas misérables, ils étaient la misère même. Impression qu'accentuait, au-dessus des têtes, le terrible volume d'air noir voûté d'ogives dont la clef demeurait invisible.

Cadeau d'anniversaire des Gestoras, on projetait sur un écran devant l'autel un film en vidéo commémorant dix années de répression. Funèbre entreprise, gronda Julen, grondé par la main ferme de Ramone. D'autres projettent leurs vacances, eux projetaient leur histoire. Litanie d'horreurs, tabassages et poursuites, manifestations, blessures. Chemin de croix mal filmé, sans innocents, où Barrabas figurait l'agneau qu'on égorge, voilà ce que pensait Julen énervé lorsqu'il reconnut sur l'écran une scène qui l'avait frappé, arrêtée en photographie, dans le hall de la Faculté. La même petite Atlante à lunettes qui soutenait d'un bras un cercueil et de l'autre se protégeait contre les matraques. Azurmendi versa du basque à l'espagnol quelques bribes du commentaire. Il s'agissait du cercueil d'Asensio. Asensio qui se sentait très mal était allé trouver le médecin de la prison. Ce dernier avait diagnostiqué un bon rhume. Un an après, toujours en prison, Asensio mourait de tuberculose. Le médecin n'avait pas été inculpé pour non-assistance, par contre les obsèques avaient été interdites. D'où la scène.

Une voix d'homme s'écria : tiens c'est moi, à gauche, juste derrière toi. Se penchant pour voir à qui s'adressait la voix, Etxemendi reconnut la fille aux lunettes cerclées de fer. Beaucoup se reconnaissaient. Au cours d'une de ces manifestations qui promènent les visages pleins de santé des morts en les agitant pour drapeaux, lui-même reconnut, se balançant parmi d'autres, le front, l'arc des sourcils et le regard brillant du père Arrieta. Mais en plus fort et brillant de gaieté. Certainement son frère, pensa-t-il, le noyé. Derechef il en eut marre. Marre du désordre ici-bas et des ordres d'en haut et des forces de l'ordre et du genre humain en général à l'exception d'un homme et d'une seule femme. Il était très tard. Il lui proposa de la raccompagner. Elle accepta.

Sur le chemin ils eurent le temps de se dire deux ou trois choses non collectives mais essentielles. Elle qu'elle était mariée. Lui qu'il le savait. Elle qu'elle s'était mariée très jeune avec son professeur de philosophie. Lui qu'il avait une maîtresse au Mexique mais pas de maître. Divorcé, sans enfants. Elle non plus. Qu'elle aimait son métier. Lui qu'il aurait aimé être architecte. Elle qu'ils pouvaient passer deux nuits à Biarritz. Lui qu'il reviendrait à Noël si. Elle qu'à Noël... mais. Par respect ils ne se touchèrent ni ne s'embrassèrent. Et, sur son lit d'hôtel pour la dernière fois, Etxemendi s'endormit dans le mais. La belle conjonction qui introduit une idée contraire à celle qui vient d'être exprimée.

Rendez-vous était pris ce dimanche 1er novembre à

onze heures du matin avec l'écrivain Eva Forest et le médecin de Copenhague, Ole Bedel Rasmussen. On mettrait les bagages dans le coffre de la voiture d'Eva, on participerait à « la sortie » de la cathédrale puis on irait retrouver le mari d'Eva à Hondarribia-Fontarabie pour le déjeuner. Là un camarade du pays de Soule qui habitait la capitale, Mauléon, mais qui devait faire un détour par Bayonne afin de déposer rue Maubec les conclusions des Gestoras, passerait les chercher et les déposerait à Biarritz. Ils tournèrent à pied plus d'une heure autour de la cathédrale, attendant la sortie prévue entre midi et treize heures. Puis dans la petite voiture jaune d'Eva ils tournèrent autour des forces de police qui encerclaient la cathédrale. Je suis la seule voiture jaune, disait Eva, ils vont finir par nous repérer. Elle voulait et ne voulait plus descendre. C'était très touchant cette petite femme au grand passé qui avait peur. Aussi petite que Ramone, ayant étudié la médecine comme elle mais sans aller jusqu'au bout, elle avait travaillé dans une clinique psychiatrique avant de passer trois années en prison pour complicité avec ETA. Elle l'avait raconté dans un livre car son affaire à elle c'était la littérature et la cause, la littérature engagée. Elle avait un visage arrondi et ridé, de pomme, une frange, un sourire merveilleux et elle souriait en avouant tout simplement qu'elle avait peur.

Les hommes allèrent aux informations. Par la porte de derrière les gens sortaient de la messe interrogeant le prêtre. Un des responsables communiquait avec l'évêché pour convaincre l'évêque de venir chercher les familles et d'éviter ainsi l'affrontement avec la police nationale. Nous ne voulons pas l'affrontement, expliquait-il, seulement attirer l'attention sur le sort des nôtres. Si nous n'agissons pas de façon spectaculaire, en nous enchaînant ou en nous enfermant, le voile du silence s'épaissit encore. L'évêque, qui était basque, ne récita pas l'évangile des Béatitudes, le « Bienheureux les humiliés », il préféra venir les chercher.

A Fontarabie le mari d'Eva, Alfonso Sastre, extrêmement inquiet de ne voir arriver personne, marchait de long en large sur le port. Ils partirent tous déjeuner dans une ferme aménagée en restaurant où le Souletin devait venir prendre le café et ses passagers.

Ce restaurant était tenu par un couple dont le fils avait été arrêté alors qu'il venait de se marier. L'épouse, qu'ils allèrent saluer aux fourneaux, était aussi fluette et souffreteuse avec son bouton de fièvre aux lèvres que la mère forte de partout, des seins, des hanches, sous le casque de son indéfrisable. Un tank, une mère tank, murmura Ramone. L'énorme femme, apolitique il y a encore un an, avait radicalement changé depuis l'arrestation de son fils. Rien que d'attendre un an le jugement – rendu seulement la semaine dernière – l'avait éduquée. La semaine dernière avec son époux, qui opinait, elle avait fait le voyage 0 h-Fontarabie 9 h-Madrid Audiencia Nacional pour y assister. Le jugement devait être prononcé à 10 h 30, on ne les avait laissés entrer qu'à 11.

Fils arrêté (tout le repas fut occupé par ce récit) en même temps qu'un camarade sous le même chef d'inculpation : 1) avoir passé quelqu'un en France sur sa barque 2) avoir hébergé un ami pour deux nuits. Le « quelqu'un » anonyme, le flou du « un ami » continuait de fasciner Etxemendi. On ne savait jamais qui. Camarade acquitté, libéré sur-le-champ; six ans de prison ferme pour le fils. La disparité du jugement, effet de la loi antiterroriste qui frappe comme la Fortune aveugle, choquait moins la forte femme que l'absence de circonstances atténuantes. Puisque c'était « un ami » que son fils avait hébergé. Par « amitié » qu'il avait passé « quelqu'un » sur sa barque. Alors l'hospitalité dans ce bas monde n'existait plus ? On n'ouvrait plus sa porte au malheureux ?

Ramone et Julen, qui se regardaient beaucoup, revirent le premier soir quand elle ouvrait sa porte à Bidart.

– Vous je vous connais, dit la mère à Etxemendi. Vous étiez avec Arantxa et Begoña, dans le même autobus. Nous aussi on est trois mais avec mon fils c'est dix minutes et une seule personne. Neuf heures de route, dix minutes de visite. J'ai proposé de couper la poire en deux : cinq minutes pour la mère, cinq minutes pour la femme, ils n'ont pas voulu. Refusé. Alors une semaine il voit sa mère, une semaine sa femme.

Le père opinait toujours. En versant le vin il eut cette unique phrase :

– Et quand nos fils sont au Togo ou au Cap-Vert, comment font les parents, dites un peu ? Ils rassemblent péniblement une fois l'an le prix du voyage et le reste du temps les enfants croient que la famille les oublie.

Le Souletin arriva. Chemise blanche et belles moustaches tombantes.

– As-tu fait la photocopie, demanda-t-il à Eva, de la lettre dont tu m'as parlé ? Je vais la publier dans *Ekin*.

– La lettre de Begoña ? demanda Eva.

Le sang d'Etxemendi ne fit qu'un tour.

– Écoutez, fit Eva de façon passionnée, la lettre que j'ai reçue hier. Cette fille, Begoña, a été arrêtée le 2 octobre à Barcelone où elle fait des études de musique. On l'accuse d'avoir pris un appartement à Barcelone pour héberger les membres d'un commando. Elle m'a écrit. J'ai reçu la lettre hier. Écoutez ce que Begoña Sagarzazu m'écrit.

Elle ouvrit au hasard la lettre la plus longue qu'Etxemendi ait jamais vue de sa vie. Sa voix tremblait en lisant :

« Une fois à Madrid ils m'ont enfermée dans une cellule après m'avoir refusé d'aller uriner et ils m'ont donné les mêmes ordres contradictoires qu'à Barcelone (sans doute pour vérifier ma docilité) : reste debout, maintenant tu peux t'asseoir, je t'ai dit de rester debout, etc. Les couvertures qu'ils m'ont remises étaient humides et comme j'ai pu le constater au matin suivant (ici ils éteignent la lumière) pleines d'excréments. Au moment où je m'apprêtais à dormir (j'ai entendu ceux qui m'avaient accompagnée prendre congé et puis je n'ai plus entendu aucun bruit) celui qui m'avait empêchée d'aller uriner m'a obligée à me déshabiller et à lui montrer ma culotte, en disant pour m'humilier : " tu n'as pas honte, à ton âge d'avoir une culotte sale " " quel cul tu as ", etc. Ensuite il a exigé que j'adopte différentes postures (lui était appuyé contre le chambranle de la porte). Il m'a obligée à me mettre devant le mur, à écarter les jambes la tête penchée en avant. Puis à me tourner vers lui (" surtout ne me regarde pas ") en ouvrant les jambes et à m'asseoir par terre jambes écartées puis à me relever et de nouveau face au mur. Alors il s'est approché de moi et m'a enfoncé les doigts dans le vagin en demandant si j'aimais cela, à quoi j'ai dit non et il a recommencé en me demandant si je voulais qu'il m'enfile et j'ai de nouveau dit non. Brusquement il m'a soulevée et jetée sur le grabat et vu son excitation j'ai compris qu'il avait l'intention de me pénétrer et j'ai appelé à l'aide. Alors il m'a violemment frappée et ordonné de me rhabiller en vitesse. Il s'est dirigé vers la porte, est revenu vers moi, m'a donné l'ordre de me coucher à plat ventre puis il est sorti et quand il est revenu il voulait que j'enlève mes pantalons ce que j'ai refusé. Alors il a pointé son pistolet sur ma tempe (il était armé) en disant : “ Ce n'est que le début. Nous avons beaucoup de temps devant nous. Il reste encore plusieurs jours de garde à vue. ” Je me suis mise à pleurer et

– Stop, dit Etxemendi.

15

A hauteur du petit phare de Biarritz, Ramone demanda au Souletin de tourner à droite puis encore à droite en suivant le golf. Il était en train de raconter pourquoi beaucoup de Souletins lorsqu'ils descendent à Paris (il ne disait pas monter) deviennent sacristains quand sa parole fut définitivement coupée – Ramone ayant dit : c'est là. Dans le coffre Etxemendi prit les bagages. Ils se serrèrent la main.

Au bout de l'allée, au fond de l'impasse, la grille du jardin était entrouverte. Tous les volets de la maison ouverts ainsi qu'un grand parasol sous lequel deux fauteuils en paille conversaient. Exactement comme si la vie avait déjà commencé. C'est grâce à celle que tu as rencontré un matin, dit Ramone, par miracle, dit Julen, qui portait le ballot de draps, dit Ramone, sur lequel j'ai posé ma lettre, dit Julen. Il suffisait de donner un tour de clef mais ils retenaient encore un peu la merveille d'entrer ensemble. Ils n'avaient guère de mérite à cela, elle les tirait seule en arrière. Julen désignait la baie vitrée. J'ai vu comme un tableau de lumière, disait-il, accroché au noir, et puis un peu de noir est entré dans le tableau, c'était ta chevelure. J'ai entendu un pas, murmurait-elle, un pas qui hésitait puis un autre, l'ombre du pittosporum a bougé. Ils refaisaient l'histoire. La leur.

Comme ils tournaient autour de la villa elle lui désigna, de l'extérieur, la fenêtre de sa chambre. Il reconnut à l'envers le store aux cerises, alors il raconta son rêve. Sous la plus basse branche d'un arbre bleu (un cèdre bleu! s'exclama-t-il) elle le fit passer pour lui montrer un massif d'hortensias qui fanaient aux couleurs de son rouge à lèvres sur le quai de la gare. Aujourd'hui son visage était nu, encore plus nu que la première fois. Julen en perdait la parole. Le sentiment amoureux montait si fort que les mots refluaient. Alors, en se penchant, il la prit dans ses bras si longuement que le soleil, qui attendait pour se coucher, eut le temps de les chauffer ensemble. Le vent du sud, sur le point de retourner là d'où il vient, tournoya encore un peu autour des vêtements. Tout ce qu'ils avaient vu et entendu bataillait autour d'eux mais ils étaient déjà seuls au monde.

Et Julen lui ayant demandé après un de leurs premiers moments de bonheur pourquoi, sans le connaître, elle avait dit oui, elle se jeta à son cou et répondit qu'il ne lui serait pas apparu innocent et digne d'être aimé si, lors de sa première apparition devant elle, elle n'avait cru voir en lui un criminel.

HERRI HUNEN IKUSTEN ETA ENTZUTEN,
ORENAK ETA KILOMETROAK NEURTU GABE,
LAGUNDU NUTEN ADIXKIDERI,
BIHOTZETIK ESKERRAK.

Composé et achevé d'imprimer
par la Société Nouvelle Firmin-Didot
à Mesnil-sur-l'Estrée, le 9 juillet 1990.
Dépôt légal : juillet 1990.
Numéro d'imprimeur : 15051.
ISBN 2-07-072070-5/Imprimé en France